Le diabète de type 1

et ses défis alimentaires quotidiens

Isabelle Galibois, Ph. D., Dt.P.

Le diabète de type 1

et ses défis alimentaires
quotidiens

LES PRESSES DE L'UNIVERSITÉ LAVAL

2005

Les Presses de l'Université Laval reçoivent chaque année du Conseil des Arts du Canada et de la Société de développement des entreprises culturelles du Québec une aide financière pour l'ensemble de leur programme de publication.

Nous reconnaissons l'aide financière du gouvernement du Canada par l'entremise de son Programme d'aide au développement de l'industrie de l'édition (PADIÉ) pour nos activités d'édition.

Mise en pages et maquette de couverture : Marc Brazeau
Illustration de la couverture : Jean-François Bergeron

3ᵉtirage 2008

Les Presses de l'Université Laval
Pavillon Maurice-Pollack
2305, de l'Université, bureau 3103
Québec (Québec) G1V 0A6
CANADA

www.pulaval.com

Table des matières

Pour Christine et Léa

Remerciements

J'ai pu consacrer le temps requis à la rédaction de ce livre grâce à un congé d'étude et de recherche que m'a accordé l'Université Laval. Je l'ai grandement apprécié.

Je tiens aussi à exprimer ma reconnaissance à plusieurs personnes qui m'ont encouragée de diverses façons.

Mesdames Louise Tremblay, infirmière, et Marie-Claire Barbeau, diététiste, de Diabète Québec, ont soutenu ce projet tout au long de sa réalisation ; qu'elles soient assurées de ma gratitude sincère. J'adresse à madame Barbeau des remerciements tout particuliers pour la révision du manuscrit et les excellentes suggestions qu'elle a émises.

Toute l'équipe de la Clinique du diabète du Centre hospitalier de l'Université Laval m'a apporté énormément au cours des dernières années. Je pense particulièrement aux pédiatres Isabelle Bouchard et Michel Lelièvre, aux infirmières Anne Leblanc et Julie Simard, et bien sûr aux diététistes Odette Tardif et Mélanie Vachon. Je les remercie tous.

Deux organismes de soutien aux familles d'enfants diabétiques m'ont régulièrement offert de prononcer des causeries à leurs clientèles. Les nombreuses questions qui m'ont été adressées à ces occasions ont été à la base de l'idée de ce livre. Je tiens à remercier particulièrement les organisateurs dévoués et enthousiastes que sont Marie Coyea et Raynald Paquin, ainsi que Marie-Josée Proulx et Mario Dumont pour le Groupe GlucoMaître de Québec, et enfin Paul Dumont et Hélène Dumas ainsi que Marie-Claude Mayrand et Jocelyn Bernard pour le séjour familial du Camp d'été des jeunes diabétiques de l'est du Québec. Beaucoup de familles, dont la mienne, ont trouvé à leur contact empathie, courage et réconfort.

Je remercie également Amélie Bernier qui a travaillé avec moi au projet de table de facteurs glucidiques à l'occasion d'un stage de 3ᵉ année du baccalauréat en nutrition.

Madame Céline Raymond, diététiste, m'a soutenue dans cette aventure par son intérêt toujours renouvelé et ses commentaires toujours stimulants. Je lui en suis très reconnaissante.

Enfin, toute ma gratitude et mon amour vont à ma famille : à ma mère, qui m'a toujours donné la preuve que tout est possible ; à Denis, mon époux, complice et premier lecteur ; et bien sûr à nos merveilleux enfants Christine, Guillaume et Léa, sans qui la vie n'aurait pas la même saveur !

Préface

Enfin le livre que l'on attendait!

Quel choc d'apprendre que votre enfant est atteint de diabète, ou que vous en souffrez vous-même. Au début, vous refusez d'y croire puis, petit à petit, vous vous faites à l'idée que le diabète est là pour la vie. Vous vous demandez alors ce que vous pouvez faire pour le contrôler et pour apprendre à vivre avec cette condition. Une fois la crainte des « piqûres » surmontée, vous partez à la recherche de ressources susceptibles de vous informer sur les différents aspects de la maladie. L'alimentation, pierre angulaire du traitement, comporte son lot d'interrogations.

Le livre *Le Diabète de type 1 et ses défis alimentaires quotidiens* met l'accent sur l'aspect nutritionnel du contrôle du diabète. C'est un document éducatif tout autant qu'un guide pratique. Il sera utile à vous, parents d'enfants diabétiques, ainsi qu'à toute personne diabétique de type 1. Tous les professionnels de la santé membres de l'équipe de soins, qu'ils soient infirmières, pharmaciens, médecins ou diététistes, pourront également bénéficier de la mine d'informations contenues dans cet ouvrage.

L'auteure possède une expérience théorique et pratique en matière de diabète puisqu'elle est diététiste et mère de deux jeunes enfants diabétiques. Elle nous livre les derniers développements scientifiques concernant la nutrition et le diabète. Elle nous présente de façon claire, précise et accessible une multitude de renseignements contribuant à démystifier le calcul des glucides, l'étiquetage nutritionnel, l'hypoglycémie et autres aspects du diabète, facilitant ainsi sa prise en charge. Son texte est ponctué de mises en situation concrètes, ce qui facilite l'intégration de notions pouvant sembler complexes de prime abord. De plus, son sens de l'humour indéniable contribue à rendre ce livre tout simplement passionnant.

Unique par son contenu et sa présentation, *Le Diabète de type 1 et ses défis alimentaires quotidiens* gagne à rester à portée de main afin de pouvoir le consulter en tout temps. Il vous sera utile non seulement lors de vos activités quotidiennes, mais également lors de situations particulières telles que les jours de maladie, le temps des fêtes, les sorties au restaurant, les anniversaires ainsi que les voyages.

Bonne lecture!

Louise Tremblay, M.Ed.
Directrice, Diabétaide
Diabète Québec

Avant-propos

L'idée qu'un tel livre pourrait être utile a commencé à germer dans ma tête il y a quelques années déjà. Un parent, me remerciant de lui avoir expliqué comment la glycémie de son enfant diabétique pouvait aussi bien s'élever que baisser au cours de l'activité physique, et de l'avoir renseigné sur les stratégies alimentaires à adopter en fonction de l'exercice, m'avait fait cette remarque : « Enfin, je comprends comment ça marche! Le diabète, ça pourrait donc être autre chose qu'une grosse boîte noire? »

Moi aussi, à titre de parent d'enfant diabétique, j'ai souvent été aux prises avec cette boîte noire. Des informations sur le diabète de type 1, sur la valeur nutritive des aliments ou sur la façon de traiter une hypoglycémie, on en trouve beaucoup. Mais des explications pour comprendre ce qui fait qu'on peut vraiment ressentir des symptômes d'hypoglycémie alors que le lecteur indique 7,5 mmol/L, ou pour faire un choix judicieux dans le vaste éventail des substituts du sucre, ça, on en trouve beaucoup moins...

En tant que diététiste et chercheure en nutrition, j'étais dans une position privilégiée pour trouver réponse à ces questions, et à toutes les autres qui surgissent sur le plan nutritionnel quand on doit faire face au diabète de type 1. Et en tant que professeure, je sentais le besoin de communiquer à d'autres le fruit de ce travail. Pourquoi sous la forme d'un livre? Tout simplement parce que chacun peut se l'approprier de la façon qui lui convient. On peut y glaner les renseignements selon ses priorités du moment, ou y trouver la réponse à une question bien précise; mais on peut aussi bien le lire de façon plus «linéaire», du premier au dernier chapitre. Une petite mise en garde toutefois à propos du chapitre 1 : plus que partout ailleurs dans le livre, on y aborde des notions de physiologie qui peuvent paraître un peu compliquées de prime abord. Si c'est le cas, n'hésitez pas à sauter ce chapitre, quitte à y revenir un peu plus tard.

Vous avez donc entre les mains le résultat de mes recherches personnelles et professionnelles. J'espère qu'elles sauront vous éclairer et vous outiller pour relever les nombreux défis alimentaires du diabète de type 1.

Isabelle Galibois
Octobre 2005

CHAPITRE 1

Les hauts et les bas de la glycémie

On ne choisit pas sa maladie.

Celle qui nous concerne, le diabète de type 1, se caractérise par une élévation de la glycémie qui, si elle n'est pas traitée, peut avoir des conséquences dramatiques.

Nous voici donc avec la tâche quotidienne de contrôler une glycémie qui semble s'amuser à nous narguer en jouant aux montagnes russes.

Pour essayer tant bien que mal de la contenir dans des limites raisonnables, nous disposons *grosso modo* de deux moyens complémentaires : d'un côté, l'insuline, et, de l'autre, les aliments. Et nous savons déjà très bien que ces derniers, en raison des glucides qu'ils fournissent, ont comme effet dominant de faire augmenter la glycémie, alors que l'insuline, elle, a l'effet inverse. On sait aussi que l'insuline fait baisser la glycémie en aidant le sucre contenu dans le sang, le glucose, à pénétrer dans certaines cellules du corps. Mais s'il y a trop d'insuline ou pas assez de glucides, attention : c'est l'hypoglycémie qui se pointe le nez. Vite quelques comprimés de glucose !

On est souvent porté à réduire le diabète de type 1 à l'équation « insuline X + aliments Y = glycémie Z », et à en tester le résultat sur le bout du doigt plusieurs fois par jour. C'est vrai que la mesure de la glycémie est un outil formidable pour la gestion du diabète. Mais, en soi, la glycémie n'est qu'une fenêtre sur ce qui se passe dans l'organisme. Si on commençait par visiter le reste de la maison ?

Le corps humain : une usine qui travaille 24 heures sur 24

Avant même de parler de l'entrée des glucides et des autres éléments nutritifs dans l'organisme, il faut prendre conscience de certaines caractéristiques fondamentales de la biologie humaine.

D'abord, et pas de surprise ici, il faut manger pour vivre! Les aliments fournissent l'énergie et les éléments nutritifs nécessaires à la croissance et au maintien de toutes les cellules du corps humain.

Mais ce qu'il faut aussi comprendre, c'est que cette énergie et ces nutriments sont requis jour et nuit, 24 heures sur 24, et pas seulement au moment des repas ou des collations. Si notre corps n'avait pas développé de mécanismes de mise en réserve des carburants fournis par les aliments après les repas, et d'autres mécanismes pour mobiliser ces carburants entre les prises alimentaires, nous serions condamnés à grignoter continuellement!

Mais l'évolution de l'espèce humaine à travers les siècles, dans des conditions souvent difficiles où les aliments n'étaient pas toujours disponibles ou l'étaient en quantités insuffisantes, a permis au corps de s'adapter à la réalité de cycles répétés de périodes de prise de nourriture alternant avec des périodes de jeûne. Il a appris à se constituer des réserves.

De quoi ces réserves sont-elles faites? Principalement de glucose et de graisse, car le glucose et les acides gras sont les carburants principaux à partir desquels les cellules du corps humain peuvent extraire de l'énergie.

Mais il y a ici une différence fondamentale : en effet, alors que des quantités presque illimitées d'acides gras peuvent être stockées dans le tissu adipeux (nos fameux kilos en trop!), les quantités de glucose qui peuvent être mises en réserve sont pour leur part beaucoup plus réduites, de l'ordre de quelques dizaines ou centaines de grammes tout au plus.

Pourtant, le glucose est le carburant préférentiel de plusieurs tissus, et il est même quasi indispensable à certaines cellules ou certains organes. Par exemple, les cellules du cerveau en ont absolument besoin, jour et nuit. Mais, et c'est un autre paradoxe, le cerveau ne se constitue lui-même aucune réserve de glucose, car ses petites cellules grises et blanches occupent déjà tout l'espace disponible dans la boîte crânienne. Donc, comme il lui est impossible de s'enfler la tête avec ses propres réserves, le cerveau est dépendant du glucose qui provient d'autres endroits du corps et que le sang doit lui acheminer. Immédiatement après les repas, ce glucose sanguin provient des aliments. Entre les repas, il provient surtout de la réserve que le foie a constituée après le dernier repas, et qu'il peut ensuite mettre en circulation sur une période de quelques heures.

Et si cette période s'allonge ou que la réserve du foie est épuisée? La glycémie baisse, mais le cerveau réclame encore son glucose…

Eh bien, c'est encore le foie qui viendra à la rescousse, cette fois-ci en fabriquant du glucose à partir d'un ensemble d'autres molécules dont il dispose.

On commence donc à comprendre que la glycémie, mesure du glucose sanguin, est à certains moments très influencée par les aliments consommés (ou les facteurs «externes»), mais qu'à d'autres moments de la journée ou de la nuit elle dépend surtout de facteurs «internes» qui régissent la circulation du glucose entre les tissus ou les organes de l'organisme. On commence aussi à réaliser que, dans le diabète, ce n'est pas seulement la glycémie qui peut être perturbée, mais aussi tous les mécanismes impliqués dans ce jeu d'échange du glucose d'un site à l'autre du corps humain.

Voyons maintenant tout cela un peu plus en détail, et voyons aussi quel rôle l'insuline vient jouer dans le processus.

L'itinéraire du glucose dans le corps humain

Les sources alimentaires

Les aliments et les boissons que nous consommons peuvent fournir de l'énergie sous quatre formes différentes: les glucides, les lipides (ou matières grasses), les protéines et l'alcool. Les lipides et l'alcool sont les nutriments les plus énergétiques, contenant respectivement 9 et 7 calories par gramme. Pour leur part, les glucides et les protéines fournissent 4 calories par gramme. Bien qu'ils soient moins denses en énergie que les lipides, les glucides représentent la principale source d'énergie des régimes alimentaires de la plupart des individus. Règle générale, les glucides comptent à eux seuls pour environ cinquante pour cent des calories ingérées dans une journée.

Par exemple, si l'on consomme 2000 calories, environ la moitié provient des glucides. Ceux-ci totalisent alors 250 grammes pour la journée (1000 calories divisées par 4 calories par gramme). Un repas moyen peut donc facilement contenir 80 grammes de glucides.

Dans les aliments, les glucides sont présents principalement sous deux formes : les **glucides complexes** et les **sucres**. Les glucides complexes sont constitués de très longues chaînes de molécules de **glucose** reliées par des liens chimiques.

Les sucres, quant à eux, sont constitués soit d'une seule molécule (de glucose ou de **fructose**), soit d'une molécule de glucose liée à une molécule de fructose (c'est le cas du sucrose, le sucre de table), ou encore d'une molécule de glucose liée à une molécule de **galactose** (c'est le cas du lactose, le sucre du lait), ou enfin de deux molécules de glucose (il s'agit alors du maltose, un sucre produit lors de la germination des grains).

Les sucres peuvent être naturellement présents dans les aliments, comme dans le cas des fruits et du lait, ou encore ils peuvent avoir été ajoutés lors de la transformation des produits alimentaires.

La digestion et l'absorption des glucides

Lors d'un repas, une fois les aliments mastiqués et avalés, les glucides complexes et les sucres qu'ils contiennent se retrouvent dans l'estomac. Celui-ci constitue un milieu acide qui n'est pas propice à la digestion des glucides. Pour ces derniers, le séjour dans l'estomac ne représente qu'un temps d'attente plus ou moins long, avant le moment de passer dans l'intestin pour y être digérés et absorbés.

Divers facteurs influencent la durée de cette période d'attente dans l'estomac. Si un aliment ne contient que des glucides et qu'il est consommé seul (dans le cas par exemple d'un petit verre de boisson gazeuse ou d'une cuillerée de sirop d'érable), il passera très vite de l'estomac à l'intestin. Si par contre on consomme un repas copieux qui contient des glucides mais aussi des lipides, des protéines et des fibres, autant de facteurs qui ralentissent la vidange gastrique, les glucides vont séjourner plus longtemps dans l'estomac et passeront dans l'intestin de façon plus graduelle.

Alors que les aliments quittent l'estomac et passent dans l'intestin, deux sécrétions y sont aussi déversées : la bile qui provient du foie, et les enzymes digestives qui proviennent du pancréas. Ce sont certaines de ces enzymes qui commencent le « découpage » des glucides complexes en unités de glucose. Le travail est terminé par d'autres enzymes de la paroi intestinale. Pour les sucres à deux molécules, ce sont aussi des enzymes de la paroi qui s'occupent du découpage en glucose et fructose, ou en glucose et galactose. Tout ce travail des enzymes constitue l'étape de la **digestion** des glucides.

Au fur et à mesure que la digestion se fait, il apparaît donc dans l'intestin de grandes quantités de molécules de glucose, et, dans une moindre mesure, des molécules de fructose et de galactose. Par des mécanismes d'**absorption**, ces molécules sont prises en charge et transportées au travers des cellules de la paroi intestinale pour aboutir dans un gros vaisseau sanguin, la veine porte, qui relie l'intestin au foie.

Soulignons ici un élément important : la digestion et l'absorption des glucides se passent exactement de la même façon chez une personne diabétique de type 1 que chez une personne non diabétique. C'est dans la suite des événements que les choses vont différer.

Chez la personne non diabétique

Après un repas

Chez la personne non diabétique, le corps perçoit l'entrée des nutriments dans le système digestif comme un arrivage d'énergie qu'il pourra en partie utiliser immédiatement, mais dont il devra aussi se servir pour faire des réserves, ou « recharger ses batteries ». Il se met donc en mode de **stockage**. Qui sera le commandant en chef de l'opération ? Nulle autre que l'**insuline** !

L'insuline, on le sait, est une hormone fabriquée par le pancréas. Celui-ci est situé dans l'abdomen, juste derrière l'estomac. Le pancréas est un organe qui possède un double rôle. D'une part, par les enzymes qu'il déverse dans l'intestin, il participe comme nous l'avons vu un peu plus haut à la digestion des aliments. D'autre part, il est le principal responsable de la régulation de la glycémie, car il fabrique à lui seul les deux principales hormones qui permettent de la maintenir à toute heure du jour dans ses limites normales, soit environ entre 3,8 et 6,0 mmol / L à jeun, et entre 4,5 et 8,0 mmol / L après un repas. Ces deux hormones sont l'insuline et le glucagon. L'insuline a comme effet dominant d'abaisser la glycémie, et le glucagon a comme effet dominant de l'augmenter.

Au fait, à propos du glucagon : pensiez-vous qu'il s'agissait uniquement d'un médicament qu'on conserve soigneusement pour l'injecter en cas d'hypoglycémie sévère ? Eh non, le glucagon c'est aussi une hormone naturellement fabriquée par le corps humain !

Bien que le pancréas sécrète continuellement de l'insuline, il en sécrète beaucoup plus au moment des repas. Le principal facteur qui déclenche la sécrétion accrue d'insuline est l'absorption du glucose provenant de la digestion des aliments. Comme ce glucose fait rapidement augmenter la glycémie dans la veine porte, le pancréas réagit en fabriquant un surplus d'insuline qu'il déverse aussi dans la veine porte.

Les trois sucres provenant des aliments (le glucose, le fructose et le galactose) ainsi que l'insuline provenant du pancréas arrivent ensuite dans le **foie**.

Dans le corps humain, le foie est le champion toutes catégories des réactions métaboliques. C'est aussi un bon soldat. Lorsque l'insuline est aux commandes et ordonne de stocker des réserves, le foie obéit au quart de tour !

Le foie s'occupe des trois sucres alimentaires : le glucose, le fructose et le galactose. Le plus abondant, le glucose, fait l'objet d'une attention particulière. Les cellules du foie en utilisent une partie qu'elles transforment en énergie, et une autre partie qu'elles convertissent en **glycogène**, sous l'influence de l'insuline. Le reste du glucose, soit plus de la moitié, est relargué avec l'insuline vers la sortie du foie dans la circulation sanguine. Entre l'entrée et la sortie, le foie aura donc capté la quantité de glucose nécessaire pour que la glycémie n'excède pas la limite normale supérieure. Quant au fructose et au galactose, ils sont habituellement métabolisés entièrement par les cellules du foie, et n'apparaissent pas dans la circulation sanguine générale.

Qu'est-ce au juste que le glycogène ? C'est le moyen qu'ont trouvé diverses espèces animales, dont l'espèce humaine, pour emmagasiner du glucose. Il s'agit en fait de très longues chaînes d'unités de glucose, reliées entre elles un peu de la même façon qu'elles le sont dans les molécules d'amidon. Le glycogène est donc aux animaux ce que l'amidon est aux végétaux : une forme de réserve de glucose, facilement accessible en cas de besoin !

Mais l'espace de stockage est plutôt limité dans le foie. Chez un adulte, la quantité maximale de glycogène qu'on peut retrouver dans le foie est d'environ 70 grammes, ou à peu près 7 pour cent du poids de cet organe. Outre le foie, seuls les muscles possèdent la capacité de fabriquer du glycogène. Ils peuvent en stocker à peu près 150 grammes au maximum, ce qui représente environ 1 pour cent de leur poids total.

Après sa sortie du foie, le glucose se dirige vers les autres organes et tissus du corps humain. Parmi ceux-ci, certains ont absolument besoin du concours de l'insuline pour capter le glucose, alors que d'autres y parviennent tout seuls, sans insuline.

Les **muscles** et le **tissu adipeux** figurent parmi ceux qui ont besoin de l'insuline. Rappelons-nous que celle-ci est une hormone de mise en réserve ; elle se fait donc un plaisir de venir « déverrouiller » les portes d'entrée des cellules musculaires et adipeuses pour y faire entrer le glucose. Une fois celui-ci à l'intérieur, les cellules peuvent s'en servir soit pour en extraire de l'énergie, soit pour le transformer en glycogène (rappelons que seules les cellules musculaires ont accès à cette deuxième voie).

Mais d'autres organes, tissus et cellules réclament aussi leur dû de glucose après un repas. Le plus vorace est sans contredit le **cerveau**. Pour lui, nul besoin d'insuline. Il met lui-même le grappin sur le glucose sanguin, et ne semble jamais rassasié. Mais, après tout, c'est un peu compréhensible, il travaille tout le temps. On n'apprécierait pas qu'il se mette en mode «arrêt» trop souvent!

Les **reins** ont aussi leur mot à dire. Sur le circuit du glucose, ils sont en quelque sorte les contrôleurs routiers. Tant et aussi longtemps que la glycémie n'excède pas la limite qu'ils ont fixée (de l'ordre d'environ 10 mmol/L), ils le laissent passer. Dans le cas où la glycémie est supérieure à 10 mmol/L, une partie du glucose excédentaire sera dérivée dans l'urine. Chez une personne non diabétique, cela ne se produit pas. Par ailleurs, les reins ont aussi comme fonction d'inactiver une partie de l'insuline qui transite par la circulation sanguine. Cela explique que cette hormone doive continuellement être sécrétée par le pancréas.

Nous avions parlé d'un repas contenant environ 80 grammes de glucides. Où sont-ils passés en définitive? Voici le bilan estimatif qu'on peut en faire. Sur les 80 grammes, il est raisonnable de croire que les trois quarts (60 g) étaient sous forme de glucides complexes, constitués exclusivement de glucose, et le quart (20 g), sous forme de sucres, naturellement présents ou ajoutés dans les aliments. Les sucres étant constitués pour la moitié de glucose et pour la moitié de fructose ou de galactose, on peut estimer qu'au total ce repas contenait environ 70 grammes de glucose et 10 grammes de fructose ou de galactose. Ceux-ci ont été entièrement captés par le foie. Sur les 70 grammes de glucose, le foie en a probablement métabolisé ou transformé en glycogène environ le tiers, soit autour de 20 à 25 grammes. Le reste est passé dans la circulation générale pour fournir de l'énergie aux cellules (notamment celles du cerveau), et pour que les muscles puissent se constituer eux aussi une réserve de glycogène, de l'ordre de quelques dizaines de grammes.

Ce qu'il faut aussi retenir de cette phase de captation et de mise en réserve du glucose alimentaire, c'est qu'il s'agit d'un **processus dynamique**. La digestion et l'absorption ne se sont pas faites d'un coup, mais se sont étalées dans le temps. Bien que le glucose alimentaire soit

Pendant la période de mobilisation des réserves (entre les repas), la glycémie ne se sera jamais trouvée sous le seuil d'environ 3,8 à 4,5 mmol / L. Au total, pour un adulte, cela représente à peu près 3 grammes et demi de glucose qui auront transité en même temps dans la circulation sanguine. Mais, cette fois, c'est le glycogène du foie et non le glucose des aliments qui aura assuré le maintien de la glycémie.

À jeun

Le temps qui s'écoule entre deux repas n'est souvent que de quelques heures, mais il peut aussi se prolonger. C'est ce qui se passe par exemple si une personne prend son souper vers 18 heures, et ne mange rien jusqu'au déjeuner du lendemain matin. Chez une personne non diabétique, ce court jeûne ne présente aucun problème, mais nécessite quand même quelques adaptations métaboliques.

La nuit, les besoins énergétiques sont en général plus bas que dans la journée. Là encore, les réserves de graisses peuvent fournir l'énergie requise à plusieurs types de cellules. Mais d'autres dépendent encore et toujours du glucose.

Les mêmes mécanismes décrits plus haut se mettent en branle : baisse de glycémie, sécrétion de glucagon, production de glucose par dégradation du glycogène du foie.

Mais, on l'a vu, les réserves de glycogène sont loin d'être illimitées. Il arrive même un moment où elles sont épuisées. Comme le « robinet » des réserves du foie ne coule plus, le niveau de glucose sanguin s'approche dangereusement de la limite inférieure. Qui sera pénalisé si le niveau est trop bas ? C'est surtout le cerveau. Il faut lancer un signal d'alarme avant qu'il soit trop tard.

Cette baisse de glycémie, qui survient vers le milieu de la nuit, va donc déclencher la sécrétion d'autres **hormones**, notamment par des glandes situées près des reins. Ces hormones vont venir prêter main-forte au glucagon pour faire obstruction à l'insuline toujours en circulation en petite quantité, insuline qui aurait tendance à faire entrer le peu de glucose sanguin restant dans les cellules musculaires et adipeuses. La présence de ces hormones va plutôt faire en sorte que le glucose soit épargné pour le cerveau. Mais en plus, ces nouvelles hormones, toujours de concert avec le glucagon, vont favoriser la mise en place d'une nouvelle voie métabolique. Il s'agit de la **production de nouveau glucose** à partir d'éléments circulant dans le sang. Cette production aura lieu en bonne partie dans le foie, mais elle pourra se faire aussi dans les reins eux-mêmes. Avec ce nouveau glucose, les besoins en énergie du cerveau seront satisfaits.

Au petit matin, la glycémie de la personne non diabétique sera naturellement plutôt faible, bien qu'un peu plus élevée qu'elle ne l'était au milieu de la nuit. La consommation du déjeuner et son effet d'augmentation de la glycémie renverseront une fois de plus le jeu des hormones, et l'insuline reprendra le dessus.

Nous avons parlé ici d'un cycle alimentaire «rudimentaire»: trois repas dans une journée, jeûne nocturne et déjeuner le lendemain matin. Mais la beauté de l'adaptation métabolique est que, chez un non-diabétique, la régulation de la glycémie se fait toujours aussi bien, et ce, quelles que soient les conditions. On peut s'empiffrer au buffet chinois, dormir jusqu'au milieu de l'après-midi en sautant le déjeuner et le dîner, courir le marathon ou être branché à un soluté de glucose, la glycémie sera toujours maintenue à l'intérieur de ses limites normales, grâce à l'adaptation de la sécrétion hormonale. Chez une personne diabétique de type 1, en l'absence de sécrétion d'insuline par le pancréas, les choses ne sont hélas plus aussi simples…

Chez la personne diabétique, avant le traitement à l'insuline

Habituellement, quand le diabète de type 1 est diagnostiqué, le pancréas possède encore une certaine capacité à produire de l'insuline. Cette sécrétion est cependant nettement insuffisante, et c'est d'ailleurs ce qui entraîne les perturbations métaboliques qui vont se traduire en signes cliniques : production importante d'urine, soif intense, perte de poids, faim dévorante, et parfois même acidocétose. Voyons l'enchaînement des événements, et leurs effets sur la glycémie.

Au moment des repas

On l'a dit plus haut, la digestion et l'absorption des glucides se passent de la même façon, qu'on soit diabétique ou pas. Donc, quand elle consomme un repas qui contient des aliments glucidiques, une quantité importante de glucose apparaît dans la veine porte de la personne diabétique de type 1 non traitée à l'insuline.

Mais, chez elle, l'effet « thermostat » du pancréas ne fonctionne plus. Malgré une élévation importante de la glycémie, seule une très faible quantité d'insuline est sécrétée.

Dans ces conditions, malgré un arrivage important de glucose au foie, celui-ci se contente de le laisser passer, puisqu'il n'a pas reçu l'ordre d'en stocker une partie sous forme de glycogène. La glycémie de la circulation générale peut alors s'élever de façon vertigineuse.

Bien sûr, le maintien d'une glycémie très élevée est aussi favorisé par le fait que les cellules requérant de l'insuline (muscles et tissu adipeux, particulièrement) ne peuvent pas non plus capter le glucose circulant. Pour le cerveau, par contre, pas de problème d'approvisionnement.

On a vu précédemment que, chez un enfant de 30 kg, il ne faut qu'environ 3 grammes de glucose dans le volume sanguin total pour avoir une glycémie de 8,0 mmol / L. Quand ni le foie ni les cellules musculaires et adipeuses ne peuvent retenir ou capter le glucose, on comprend facilement qu'après un repas riche en glucides la glycémie d'un enfant diabétique non encore traité à l'insuline va très vite grimper à 15,0 (à peu près 6 grammes de glucose dans le sang), à 25,0 (à peu près 9 grammes de glucose dans le sang) ou à « HI » sur le lecteur de glycémie (à peine quelques grammes de plus) !

Donc le foie, les muscles et le tissu adipeux sont quasi impuissants devant tout ce glucose sanguin. Les reins, par contre, vont pouvoir réagir. Comme la glycémie a dépassé (et souvent de loin) le seuil limite qu'ils ont fixé, ils vont se mettre à excréter du glucose dans l'urine. Cette excrétion de sucre s'accompagne d'une importante sécrétion d'eau. La personne diabétique se déshydrate ; elle doit donc boire beaucoup pour étancher cette soif subite.

Mais, malgré le travail des reins, la glycémie ne parvient pas à redescendre dans les limites normales.

Entre les repas

Rappelons-nous que, dans l'alimentation, les glucides nous fournissent environ la moitié de l'énergie totale. Que se passe-t-il alors pour la personne diabétique de type 1 non traitée à l'insuline ? Il lui manque la moitié de ses calories habituelles.

Pour satisfaire ses besoins, elle devra donc se rabattre sur les autres sources énergétiques que sont les matières grasses et les protéines alimentaires. Mais, même dans ce cas, elle ressentira rapidement la faim après son repas, et aura tendance à manger à nouveau. Bien sûr, cela ne fera qu'aggraver son hyperglycémie.

À jeun

La situation se dégrade rapidement. En l'absence d'insuline, le glucagon et les autres hormones antagonistes occupent tout le terrain, ce qui favorise la production de nouveau glucose par le foie. La glycémie est toujours élevée, même à jeun lorsqu'il n'y a pas d'apport de glucose alimentaire.

Les tissus dépendants de l'insuline se mettent littéralement à crier famine, et l'organisme bascule dans des voies métaboliques de dégradation de ses propres protéines, puis de ses réserves de graisse. En utilisant celles-ci de façon exagérée, les cellules produisent de plus en plus de corps cétoniques. Chez une personne non diabétique, certaines conditions, un régime sévère par exemple, sont aussi favorables à la combustion des gras et à la production des cétones. Il existe cependant chez elle un mécanisme de sûreté : si les cétones dans le sang excèdent un certain niveau, le pancréas se met à sécréter de l'insuline, qui met un arrêt à leur production. Dans le diabète de type 1, ce mécanisme de défense est bien sûr perdu, et l'accumulation des corps cétoniques (qui sont des molécules acides) peut éventuellement conduire à l'acidocétose et au coma.

Heureusement, le diabète est souvent diagnostiqué avant la fin de ce scénario catastrophe, mais pas avant que la personne diabétique n'ait subi une perte de poids notable.

Chez la personne diabétique traitée à l'insuline

Le début de la thérapie à l'insuline amène une amélioration spectaculaire de la condition de la personne diabétique de type 1. Ses glycémies sont ramenées à des niveaux acceptables, elle cesse de perdre du poids et recommence à en gagner, elle se sent beaucoup moins fatiguée dans ses activités quotidiennes.

Cependant, même si elle a quitté la zone d'hyperglycémie dangereuse à court terme, elle n'est pas à l'abri de grandes fluctuations dans ses glycémies quotidiennes. Voyons-en les raisons, à partir de la situation courante d'un traitement utilisant de l'insuline à action rapide (ex. : Humulin R ^{MD}) combinée à de l'insuline à action intermédiaire (ex. : Humulin N ^{MD}).

Au moment des repas

Commençons avec le déjeuner. Avant son repas, la personne diabétique a reçu en injection sous-cutanée un mélange de ses deux insulines.

Dans l'heure suivant la consommation des aliments, une grande proportion du glucose qu'ils contiennent s'est déjà retrouvée dans la veine porte. L'insuline injectée n'est qu'en partie au rendez-vous, car il s'avère très difficile de faire coïncider parfaitement le moment d'absorption maximale du glucose avec la quantité requise d'insuline dans la veine porte, une chose que le pancréas du non-diabétique réussit pourtant facilement. Le plus souvent, bien que le foie ait saisi le message de stockage que lui a suggéré l'insuline injectée, il ne retiendra pas tout le glucose qu'il devrait transformer en glycogène, et la glycémie après le repas sera plus élevée chez la personne diabétique que chez la personne non diabétique.

Éventuellement, l'insuline injectée atteindra sa «vitesse de croisière», le glucose provenant des aliments pourra être capté par les cellules adipeuses et musculaires, et ces dernières pourront en transformer une partie en glycogène. Par contre, cela aura été souvent précédé d'une période d'hyperglycémie en raison du décalage entre l'absorption du glucose et l'action de l'insuline.

Mais, au moins, l'insuline injectée aura envoyé le bon message aux tissus et organes, à savoir que c'est le moment de faire des réserves.

Entre les repas

La période qui suit la fin de la digestion et de l'absorption des glucides alimentaires est souvent un moment critique pour la glycémie de la personne diabétique de type 1. Chez la personne non diabétique, on s'en souvient, il s'agit d'un moment où le métabolisme s'inverse, passant des mécanismes de stockage à ceux de la mobilisation des réserves de glycogène.

Mais, chez la personne diabétique, la baisse de la glycémie résultant de la fin de l'arrivage du glucose alimentaire ne signifie pas nécessairement que l'insuline s'apprête à céder le pas au glucagon. Pourquoi? Tout simplement parce que la diminution de la concentration de glucose n'a aucun effet sur l'insuline injectée. Celle-ci va demeurer efficace dans le corps humain aussi longtemps que sa durée d'action le prévoit. Et tant qu'il y aura trop d'insuline, la glycémie va continuer à baisser, et le glycogène demeurera bien stocké dans le foie... Cela passerait encore s'il n'y avait que les résidus d'action de l'insuline rapide, mais il y a aussi l'insuline à action intermédiaire qui commence à se mettre de la partie !

L'hypoglycémie menace. Pour la prévenir, la personne diabétique devra prendre une collation, donc se protéger avec du glucose alimentaire contre l'action de son insuline injectée qui l'empêche d'avoir accès à ses propres réserves de glucose dans le foie.

On le sait, l'organe le plus vulnérable à l'hypoglycémie est le cerveau. Il ne possède aucun mécanisme d'adaptation rapide à une baisse de glycémie dans le sang. Il ne peut qu'en subir les conséquences, qui souvent sont modestes et passagères, mais parfois aussi graves et durables…

Le problème avec la collation, c'est qu'il n'est pas non plus évident d'en ajuster exactement le contenu en glucides avec l'action de l'insuline. Assez souvent, la glycémie s'élève encore de façon plus ou moins importante, et reste haute jusqu'au moment du prochain repas. Celui-ci, bien sûr, ne doit pas être pris n'importe quand, mais doit plutôt être planifié de façon à le faire coïncider le mieux possible avec le prochain pic d'action de l'insuline.

À jeun

Les oscillations de la glycémie chez la personne diabétique de type 1 ne s'arrêtent pas avec l'arrivée de la nuit, bien au contraire.

Rappelons que, chez la personne non diabétique, le maintien de la glycémie durant la nuit n'est pas le fait d'un apport en glucose alimentaire mais est plutôt dû, dans un premier temps, à la mise en circulation du glucose provenant des réserves de glycogène que le foie s'est constituées pendant la journée. Une fois celles-ci épuisées, la fabrication de nouveau glucose par le foie et les reins se met en branle. Cette mobilisation du glucose «interne» est rendue possible par deux réactions hormonales consécutives à la baisse de la glycémie : 1) la diminution (mais pas l'arrêt) de la sécrétion d'insuline par le pancréas ; 2) la sécrétion accrue du glucagon par le pancréas et d'autres hormones, notamment par les reins. Ces hormones ont toutes une action inverse (on dit aussi «antagoniste») à celle de l'insuline. L'organisme réussit de cette façon à maintenir une glycémie qui, bien que basse, sera suffisante pour fournir au cerveau le glucose dont il a besoin pendant cette période de jeûne nocturne.

Chez la personne diabétique, en raison des injections d'insuline, le risque d'hypoglycémie est toujours présent, et la menace d'une hypoglycémie nocturne est particulièrement désagréable. On peut essayer d'y faire échec en mangeant une collation, mais l'expérience nous apprend vite que ce n'est pas toujours la solution miracle. Une autre approche logique pour éviter l'hypoglycémie nocturne semblerait être de ne pas s'injecter d'insuline au coucher, puisque d'ordinaire on ne mange pas pendant la nuit… Malheureusement, les choses ne sont pas aussi simples. L'insuline est essentielle la nuit comme le jour, principalement pour contrer les risques d'acidocétose, mais également pour contrebalancer l'action des hormones antagonistes. Si celles-ci étaient seules à bord, elles favoriseraient de façon excessive la mobilisation du glycogène et la fabrication de nouveau glucose, et la glycémie serait prodigieusement élevée au matin.

La personne diabétique doit donc s'administrer de l'insuline. Si au moins l'insuline injectée agissait comme l'insuline sécrétée par le pancréas! Mais non: alors que ce dernier ajuste à la baisse sa sécrétion insulinique entre minuit et quatre heures du matin, en réaction à la baisse de la glycémie, puis l'ajuste ensuite à la hausse au petit matin (à la suite de l'augmentation dans le sang du glucose provenant du foie et des reins), l'insuline en injection se comporte bien différemment. En effet, l'insuline à action intermédiaire, qui est habituellement celle qui est administrée au coucher, a une action maximale environ 4 heures après l'injection, soit souvent au moment où, chez la personne non diabétique, l'insuline pancréatique est à son plus bas niveau. En outre, lorsqu'il y a trop d'insuline en action, les hormones antagonistes ont du mal à contrecarrer la baisse de glycémie. Un important risque d'hypoglycémie est donc à craindre durant cette première partie de la nuit. Dans les heures qui suivent, l'insuline à action intermédiaire perd peu à peu de son effet, et devient totalement inefficace au petit matin. Si on a réussi à éviter l'hypoglycémie plus tôt, maintenant c'est l'hyperglycémie qui menace, car les hormones antagonistes ont franchement pris le dessus.

La personne diabétique doit oublier toute idée de grasse matinée: debout et vite, une autre injection!

Dans les paragraphes précédents, nous avons choisi l'exemple d'une combinaison d'insulines à action rapide et à action intermédiaire pour illustrer les effets du traitement insulinique sur la glycémie d'une personne diabétique de type 1. Bien sûr, d'autres options sont maintenant disponibles, notamment la combinaison d'insulines à action ultra-rapide (ex.: Humalog^{MD}) et à action prolongée (ex.: Lantus^{MD}) ou l'utilisation d'une pompe à insuline. Ces autres traitements et leurs effets sur la glycémie seront abordés dans les prochains chapitres.

En conclusion

Finalement, les choses sont bien compliquées pour la personne diabétique de type 1. À la lecture de ce premier chapitre, on a peut-être mieux compris pourquoi sa glycémie varie tant, alors que celle de la personne non diabétique est si parfaitement contrôlée.

Tout cela veut-il dire que la personne diabétique est condamnée à passer son temps à jouer au chat et à la souris avec sa glycémie, en endossant le rôle de la souris plus souvent qu'à son tour?

Est-ce qu'elle est condamnée à ne jamais manger simplement par plaisir ou parce qu'elle a faim, mais toujours en réaction à un risque d'hypoglycémie ou d'hyperglycémie?

Rassurons-nous tout de suite; la réponse à ces deux questions est: non.

Au contraire, maintenant que nous connaissons mieux les facteurs physiologiques qui influencent les variations de la glycémie, nous allons nous intéresser de plus près aux facteurs alimentaires. Nous allons tenter de mieux **comprendre** comment les aliments peuvent devenir nos alliés dans une stratégie de contrôle de la glycémie.

Au lieu de subir un régime, nous allons apprendre comment on peut personnaliser pour chaque personne diabétique un **plan d'alimentation** efficace, qui pourra être adapté aux différentes situations de la vie quotidienne.

Place à la bouffe!

CHAPITRE 2

Le plan d'alimentation

L'aspect probablement le plus difficile à accepter du diabète de type 1 est son caractère incurable. Non seulement on n'a rien fait pour provoquer cette maladie, mais en plus on est condamné à vivre avec toute sa vie !

Et encore, s'il ne s'agissait que de prendre des médicaments tous les jours, comme l'exigent bon nombre de maladies chroniques… Non, il faut aussi surveiller constamment tout ce qu'on mange.

L'alimentation, jusque-là associée au rassasiement, au plaisir, au réconfort, aux échanges familiaux, amicaux ou sociaux, prend soudainement des allures de casse-tête pour les diabétiques de type 1 et leurs proches. Alors qu'avant on choisissait les aliments surtout pour leur goût ou leurs effets sur la santé, maintenant il faut penser d'abord en termes de taille de portions et d'effet glycémique. Et tout cela pas seulement la semaine et le dimanche, mais aussi aux anniversaires, à Pâques, à l'Halloween, au réveillon de Noël, etc. Casse-tête, disions-nous ? Certains parleraient peut-être même de cauchemar !

Et pourtant, justement en raison du caractère chronique et incurable du diabète de type 1, il est important dès le départ de faire la **distinction** entre un **régime à vie**, qui serait effectivement un cauchemar pour n'importe qui, et un **plan d'alimentation**, outil qui peut être adapté aux circonstances, et qui peut prendre différentes formes au cours de la vie d'une personne diabétique.

Un plan d'alimentation, ça sert à quoi ?

Il y a des personnes qui ont la « fibre des plans » très développée : elles ont un plan de carrière, un plan de retraite, elles font des plans pour leur maison de rêve… Bref, l'idée d'un plan, d'alimentation ou autre, ne les rebute aucunement.

D'autres personnes, au contraire, ont toujours été plus bohèmes. Elles prennent la vie au jour le jour, s'adaptent aux circonstances et, de façon générale, adorent les surprises! Pour elles, rien de plus contraignant que l'idée d'élaborer un plan, et surtout d'avoir à le suivre.

Mais un plan d'alimentation, est-ce si indispensable lorsqu'on devient diabétique? Repensons à l'analogie entre le corps humain et une usine, évoquée au chapitre 1, et nous avons notre réponse.

Aimez-vous les contes? En voici un…

Il était une fois un patron heureux. L'immense usine dont il était propriétaire fonctionnait parfaitement nuit et jour, la machinerie tournait à plein régime, les relations de travail étaient au beau fixe.

Les ouvriers étaient répartis en trois grandes équipes: les blancs, les rouges et les jaunes. Tous arrivaient au travail dans des autobus, qui à toute heure les laissaient devant l'usine. Une fois les portes franchies, les rouges et les jaunes se dirigeaient d'eux-mêmes vers leurs postes de travail. Les blancs, de leur côté, empruntaient une navette rapide et performante. En plus, ils n'attendaient jamais: dès qu'ils avaient mis le pied dans l'usine, la navette était là pour les prendre en charge.

Mais un jour, et sans qu'on sache très bien pourquoi, la belle navette arrêta brusquement de fonctionner. Le propriétaire remua ciel et terre pour trouver un moyen de la remettre en marche, mais il dut se résigner: c'était irréparable…

Quelqu'un lui conseilla un système de rechange: des petits chariots mécaniques, qu'on ferait entrer dans l'usine quelques fois par jour, et qui pourraient convoyer les ouvriers de l'équipe des blancs jusqu'à leur poste. C'était un système assez rudimentaire qui n'avait pas grand-chose à voir avec la navette autoprogrammée, mais bon, c'était ça ou la fermeture de l'usine.

Le propriétaire de l'usine évalua le nombre de chariots requis et les heures de départ, et fit ses premiers essais. Il y eut beaucoup de ratés. Parfois, le problème était que les autobus amenaient trop d'ouvriers de l'équipe des blancs du même coup, et il manquait alors de place dans les chariots. Ceux qui étaient en trop entraient quand même dans l'usine et essayaient de rejoindre leurs postes à pied, mais ils se perdaient et devaient emprunter les sorties de secours. D'autres fois, les chariots partaient presque vides, parce que les auto-bus n'avaient amené que des ouvriers des équipes des jaunes et des rouges. Il manquait de blancs à leurs postes, et toute la chaîne de travail était désorganisée.

Découragé et fatigué, le patron n'en menait pas large. Puis tout à coup il eut une bonne idée: s'il s'entendait avec la compagnie d'autobus pour que celle-ci le renseigne à l'avance sur le nombre d'ouvriers blancs, jaunes et rouges que ses véhicules laisseraient devant l'usine? Et si les autobus suivaient un horaire, au lieu d'arriver n'importe quand?

Un «plan d'alimentation en ouvriers» fut convenu entre la compagnie d'autobus et le propriétaire. Résultat: les chariots mécaniques devinrent rapidement plus utiles et efficaces, et l'usine fonctionnait bien à nouveau.

Le patron retrouva le sourire, et il vécut heureux jusqu'à la fin des temps...

On le sait déjà, les aliments et produits alimentaires que nous consommons sont les véhicules (ou, si l'on préfère, les autobus!) des trois principaux nutriments énergétiques: les glucides, les protéines et les lipides. Chez toute personne, diabétique ou non, ces trois nutriments sont essentiels, et l'usine qu'est le corps humain fonctionne de façon optimale lorsque certaines proportions sont respectées dans leurs apports. Des **choix alimentaires judicieux** sont importants pour **tous les individus**.

Ce qu'on sait aussi, c'est qu'une personne non diabétique peut sans problème répartir ses bons choix d'aliments à divers moments de la journée. Elle peut prendre ses repas à heures fixes ou variables, consommer ou non des collations, manger un peu moins une journée et un peu plus le lendemain sans aucun problème. Les glucides peuvent se présenter à l'heure qu'ils veulent, ils seront pris en charge par l'insuline du pancréas! La bonne quantité sera mise en réserve sous forme de glycogène, le reste sera utilisé comme source d'énergie dans les tissus.

Chez la personne diabétique de type 1, la «gestion des apports» est plus complexe. En effet, les bons aliments ne peuvent plus être consommés n'importe quand; il faut tenir compte de deux critères additionnels: 1) la **synchronisation** des apports alimentaires avec l'action de l'insuline injectée; et 2) l'**ajustement des quantités** de glucides aux doses d'insuline.

Un plan d'alimentation est un outil indispensable qui sert à respecter ces critères, tout en favorisant la consommation d'aliments sains et savoureux.

> Certains mythes ont quand même la vie dure… Quand on demande à la plupart des gens ce qui est le plus important dans l'alimentation des diabétiques, ils répondent sans hésiter: ne pas manger de sucre!
>
> Pourtant, les aliments sucrés n'ont rien à voir avec le développement du diabète de type 1, et peuvent tout à fait être intégrés dans un plan d'alimentation!
>
> Le diabète de type 1 **n'est pas** une allergie qui se traite avec un régime du style «aliments permis, aliments défendus». Le diabète de type 1 **est** un dérèglement métabolique qui se contrôle par une stratégie intégrée, et le plan d'alimentation en est une composante essentielle.

Un plan d'alimentation, ça s'élabore comment?

On commence à le comprendre: dans le diabète de type 1, le plan d'alimentation est la stratégie qui va permettre d'**arrimer la consommation alimentaire avec l'action de l'insuline externe**. Ces deux volets, aliments et insuline, devront toujours être considérés conjointement, et de façon équilibrée. En effet, il faut absolument éviter de se retrouver dans l'une ou l'autre des situations suivantes: a) être constamment forcé de manger pour «nourrir» l'insuline (en d'autres termes, s'alimenter seulement pour éviter l'hypoglycémie); ou b) devoir constamment s'administrer des doses d'insuline de correction ou de «rattrapage», parce que les aliments consommés provoquent systématiquement des hyperglycémies.

Pour que la personne diabétique puisse atteindre l'équilibre souhaité, il faudra dès le départ rechercher une situation d'heureux compromis entre ses habitudes et ses préférences alimentaires, d'une part, et son insulinothérapie d'autre part.

Les habitudes et les préférences alimentaires

Tout le monde ne mange pas la même chose, ni tout à fait de la même façon. Il y a des personnes qui aiment commencer la journée par un gros déjeuner, alors que d'autres ont de la difficulté à avaler quelques bouchées au saut du lit. Certains n'ont que quelques minutes pour dîner, quand d'autres s'attablent le midi pour leur principal repas de la journée. Il y en a qui ne jurent que par la trilogie «viande, patates, légumes», mais il y aussi les inconditionnels des salades-repas. Bref, dans notre société d'abondance, tous les goûts alimentaires peuvent s'exprimer! Et, dans l'élaboration d'un plan d'alimentation, c'est une réalité qu'il faut reconnaître d'emblée.

La première étape du plan doit donc consister à dresser le portrait de l'alimentation habituelle (ou l'alimentation «prédiabète») de la personne de la façon la plus complète possible.

C'est le plus souvent la diététiste-nutritionniste qui dressera ce portrait, conjointement avec la personne diabétique de type 1 et les membres de sa famille. On établira notamment l'**histoire alimentaire** de la personne, en notant ses horaires de repas et de collations, ses préférences, ses aversions, ses allergies alimentaires s'il y a lieu, les endroits où elle prend ses repas (maison, école, lieu de travail, restos…), bref, tout ce qui concerne ses habitudes d'alimentation. Par ailleurs, on fera souvent aussi un **relevé alimentaire**, qui permettra de documenter pour quelques journées les quantités et les sortes d'aliments consommés, ainsi que les heures précises de consommation.

Une fois cet exercice complété, la diététiste pourra analyser la composition nutritive de l'alimentation de la personne diabétique, et connaître les quantités moyennes de calories, glucides, protéines et lipides qu'elle a l'habitude de prendre dans une journée. Elle pourra aussi établir sa consommation typique en termes de groupes ou de catégories d'aliments.

Ce portrait alimentaire est indispensable pour pouvoir ensuite personnaliser ou individualiser le plan d'alimentation. Il est aussi utile car il peut contribuer à évaluer la quantité d'insuline requise pour couvrir les apports habituels.

Portrait n° 1

Antoine, trois ans et demi, est un membre actif du groupe des Pinsons à la Garderie des Oiseaux. Mais, cette semaine, ce n'est pas à la garderie qu'il fait rire ses amis. Il fait plutôt le clown à l'hôpital, où il vient d'être admis pour un diabète de type 1.

Antoine et ses parents ont rencontré beaucoup de membres de l'équipe de soins ; c'est maintenant au tour de la diététiste de venir poser ses questions. Elle apprend qu'Antoine aime beaucoup le jus, le lait, le chocolat et les desserts glacés, mais qu'il n'est pas très fort sur les légumes et la viande. Cependant, il aime bien le poulet et les crudités. Pour lui, le menu d'une journée type serait le suivant.

Déjeuner : bol de céréales avec lait 2 %, petit verre de jus d'orange

Collation de l'avant-midi : bâtonnets de carottes ou de céleri

Dîner : sandwich (au jambon, aux œufs ou aux cretons), salade de chou, verre de lait, gélatine aux fruits, biscuits secs

Collation de l'après-midi : craquelins et fromage, petit verre de jus de pomme

Souper : poulet rôti, pommes de terre en purée, petits pois, verre de lait, crème glacée

Le soir, avant d'aller se coucher, Antoine prend souvent un petit verre de lait au chocolat.

La diététiste évalue qu'Antoine consomme environ 1400 calories par jour, soit à peu près 180 grammes de glucides, 70 grammes de protéines et 45 grammes de lipides.

Portrait n° 2

Mélanie a vingt ans et termine cette année un programme d'inhalothérapie au cégep. Elle habite en appartement avec deux copines. Cette semaine, le ciel lui est tombé sur la tête : elle a reçu un diagnostic de diabète de type 1.

Mélanie a toujours fait attention à sa ligne, mais elle ne prend pas beaucoup de temps pour préparer ses repas. Avec le cégep, les cours de chant et les amis, ses journées sont déjà très bien remplies, merci !

Le matin, elle ne prend qu'un café (avec lait et sucre) à l'appartement, mais apporte un fruit qu'elle mange dans l'autobus. Entre deux cours, vers 10 h, elle prend une barre tendre ou un gros muffin. Le midi, elle se contente le plus souvent d'une soupe aux légumes, de quelques craquelins et d'un yogourt. Vers 16 h, elle s'achète une boisson gazeuse sans sucre, et mange habituellement une galette aux raisins ou aux pépites de chocolat. Elle prend son souper à l'appartement. C'est son plus gros repas de la journée. Il s'agit souvent de pâtes avec sauce aux légumes ou à la viande, gratinées au four. Comme dessert, elle prend quelques biscuits avec un grand verre de lait. Dans la soirée, il lui arrive de grignoter, souvent du *popcorn* ou des bretzels.

Avec ces renseignements, la diététiste estime que Mélanie prend à peu près 1800 calories par jour, réparties de la façon suivante : 240 grammes de glucides, 60 grammes de protéines et 65 grammes de lipides.

L'insulinothérapie

On l'a vu au chapitre 1, l'insuline est nécessaire à plusieurs fonctions métaboliques du corps humain et, bien qu'elle soit normalement sécrétée en plus grande quantité par le pancréas au moment des prises alimentaires, son rôle ne se limite pas seulement aux quelques heures suivant les repas.

Puisque l'insuline est requise jour et nuit, il faut qu'il y en ait constamment en circulation dans l'organisme du diabétique de type 1. Il faut aussi qu'il y ait juste assez d'insuline, mais pas trop. Rappelons-nous que, dans le cycle métabolique normal, les étapes de stockage et de mobilisation des réserves doivent se succéder. S'il n'y a pas assez d'insuline au moment de l'absorption des nutriments, le corps n'arrivera pas à stocker de glycogène à partir du glucose alimentaire. Si à l'inverse il y a trop d'insuline une fois l'absorption terminée, le foie n'arrivera pas à dégrader son glycogène de réserve, et la glycémie s'abaissera dangereusement.

En définitive, l'insuline externe dont dépend désormais la personne diabétique peut lui être administrée de différentes façons, mais toujours en vue de pouvoir assumer correctement les fonctions métaboliques **à jeun, après les repas et entre les repas**.

On appelle **insulinothérapie** le traitement qui consiste à administrer de l'insuline aux personnes diabétiques, en remplacement de celle que leur corps ne produit plus. L'insulinothérapie peut prendre diverses formes, en fonction des préparations et du mode d'administration choisi.

Lecteur, lectrice, attention !

Le présent ouvrage ne prétend aucunement couvrir de façon complète l'élément essentiel de la prise en charge du diabète de type 1 qu'est l'insulinothérapie. Les quelques paragraphes qui suivent ne visent qu'à décrire de façon succincte les options de traitement les plus courantes. Pour de plus amples renseignements, il est essentiel de vous référer à votre médecin ou aux professionnels de l'équipe de soins, qui pourront fournir toute l'information nécessaire.

Pour reproduire le mieux possible la façon dont fonctionne le pancréas, il faut administrer de l'insuline plusieurs fois par jour. Comme il n'est actuellement pas possible d'introduire l'insuline directement dans la veine porte, on l'administre plutôt en divers endroits sous la peau, d'où elle peut ensuite se diriger vers la circulation sanguine.

Chez la majorité des diabétiques de type 1, l'administration sous-cutanée d'insuline se fait par **injections**, au moyen de seringues ou de stylos injecteurs. Le nombre d'injections quotidiennes peut varier d'une personne à l'autre, mais il est le plus souvent de trois ou quatre.

Habituellement, l'option «trois injections par jour» consiste en :

➤ une injection combinant une insuline à action rapide (ex. : Humulin R^MD, Novolin^MD ge Toronto) et une insuline à action intermédiaire (ex. : Humulin N^MD, Novolin^MD ge NPH) avant le déjeuner ;

➤ une injection d'insuline à action rapide avant le souper ;

➤ une injection d'insuline à action intermédiaire au coucher.

Dans un tel cas, quatre pics d'action de l'insuline sont à prévoir (on entend par «pic d'action» le moment où l'effet d'abaissement de la glycémie par l'insuline injectée est à son plus fort) :

1) le pic d'action de l'insuline rapide du matin, qui se produira en début ou milieu de matinée ;

2) le pic d'action de l'insuline intermédiaire du matin, qui se produira en début ou en milieu d'après-midi ;

3) le pic d'action de l'insuline rapide d'avant le souper, qui se produira en début de soirée ; et

4) le pic d'action de l'insuline intermédiaire du coucher, qui se produira au milieu de la nuit.

Très important : chacun de ces pics devra correspondre à un apport de glucose dans le sang, soit d'origine alimentaire (glucides des aliments) soit d'origine métabolique (dégradation du glycogène ou fabrication de glucose par le foie).

Quant à l'option «quatre injections par jour», elle consiste le plus souvent en :

➤ une injection combinant une insuline à action ultra-rapide (ex. : Humalog^MD, NovoRapid^MD) et une insuline à action intermédiaire (ex. : Humulin N^MD, Novolin^MD ge NPH) avant le déjeuner ;

➤ une injection d'insuline à action ultra-rapide avant le dîner ;

➤ une injection d'insuline à action ultra-rapide avant le souper ;

➤ une injection d'insuline à action intermédiaire au coucher.

Comparativement à l'option précédente, la dose d'insuline à action intermédiaire du matin est plus faible. Elle est compensée par l'injection additionnelle au dîner.

Ici, chaque dose d'insuline ultra-rapide produira un pic d'action environ deux à quatre heures après son administration. Un pic d'action de l'insuline intermédiaire administrée le matin se produira aussi en début ou milieu d'après-midi, mais sera moins marqué vu la dose réduite. Enfin, comme dans l'option précédente, un pic d'action de l'insuline intermédiaire du coucher se produira au milieu de la nuit.

Qu'est-ce qui est commun aux deux options? L'utilisation combinée de deux sortes d'insuline. L'insuline à action rapide ou ultra-rapide vise particulièrement à couvrir les repas, alors que l'insuline à action intermédiaire sert surtout à «imiter» la sécrétion continuelle de base d'insuline par le pancréas. Mais ce n'est pas une excellente imitatrice: alors qu'elle devrait se contenter de reproduire un bruit de fond, elle a tendance à monter un peu trop le volume au milieu de ses prestations, surtout en plein cœur de la nuit. Gare alors à l'hypoglycémie!

Une nouvelle venue: la Lantus[MD]

Depuis février 2005, une nouvelle préparation commerciale d'insuline est en vente au Canada. Il s'agit de la *glargine* (commercialisée sous le nom de Lantus[MD]), un premier analogue d'insuline à action prolongée.

En quoi la Lantus[MD] est-elle différente de l'insuline à action intermédiaire? D'abord, son absorption est plus lente, et sa durée d'action est plus longue. La Lantus[MD] est injectée une seule fois par jour, contrairement à deux fois par jour pour l'insuline à action intermédiaire. Mais la particularité la plus notable de la Lantus[MD] est qu'elle n'a pas de pic d'action: une fois absorbée, elle agit de la même façon tout au long de sa durée d'action. Pour cette raison, la Lantus[MD] est associée à une diminution (mais pas à une suppression) du risque d'hypoglycémie. Enfin, la Lantus[MD] ne peut être mélangée à d'autres insulines, car cela perturberait son efficacité. Il faut l'administrer par injection, mais séparément de l'insuline à action rapide ou ultra-rapide.

Outre les injections, il existe maintenant une autre façon d'administrer de l'insuline par voie sous-cutanée : c'est la **perfusion en continu** au moyen d'une pompe à insuline.

Celle-ci est un petit instrument programmable, porté à la ceinture. La pompe contient un réservoir d'insuline à action ultra-rapide (Humalog^{MD} ou NovoRapid^{MD}) relié par un petit tube de plastique flexible à un cathéter inséré sous la peau. L'insuline est administrée 24 heures sur 24 selon deux modes : 1) un mode automatique, qui consiste à administrer en continu de très petites quantités d'insuline suivant un débit de base préprogrammé, cela visant à reproduire la sécrétion continuelle d'insuline par le pancréas ; et 2) un mode manuel consistant à administrer des doses plus importantes d'insuline (appelées « bolus ») à chaque nouvelle prise d'aliments contenant des glucides, ces doses servant à reproduire la sécrétion additionnelle d'insuline par le pancréas au moment des repas. Présentement, la pompe à insuline est la forme d'insulinothérapie qui imite le mieux la sécrétion normale du pancréas.

À l'heure actuelle, et surtout en raison des coûts élevés qui y sont associés, seule une minorité de personnes diabétiques de type 1 sont traitées avec une pompe à insuline. Son utilisation est cependant en augmentation croissante.

Qu'est-ce qui guide un diabétique donné vers une option d'insulinothérapie plutôt qu'une autre ? Différents facteurs sont à considérer.

L'âge de la personne, le degré d'expérience qu'elle a atteint dans la gestion de son diabète, le nombre quotidien de mesures de glycémie qu'elle est disposée à faire, et les contraintes propres à son milieu de vie, d'étude ou de travail sont autant d'éléments qui seront pris en compte.

De façon générale, on est souvent porté à commencer le traitement à l'insuline par l'option la plus simple possible : un nombre réduit d'injections (trois étant le minimum), et les mêmes doses utilisées d'une journée à l'autre.

Au fur et à mesure que la personne diabétique acquiert des connaissances et des compétences, on peut aller vers une insulinothérapie plus complexe : quatre injections ou bolus par jour (et même des injections additionnelles d'insuline ultra-rapide au besoin, pour couvrir des apports imprévus ou corriger rapidement des hyperglycémies), avec des variations possibles dans les doses quotidiennes administrées.

Quelle insulinothérapie serait la meilleure pour nos amis Antoine et Mélanie, présentés un peu plus haut?

Rappelons-nous qu'Antoine a trois ans et demi et qu'il fréquente la garderie. Son horaire est sûrement assez stable d'une journée à l'autre. Il serait possiblement compliqué, du moins au début, qu'il ait à recevoir une injection le midi. Pour lui, l'option des trois injections par jour, avec doses prédéterminées, est sûrement l'insulinothérapie la plus indiquée.

Mélanie, de son côté, est une jeune adulte autonome et débrouillarde, qui ne devrait pas avoir trop de problèmes à maîtriser ses injections. Elle ne mange pas beaucoup le midi. L'option appropriée pour elle serait sans doute de débuter avec quatre injections par jour. Il est probable qu'avec un peu de pratique elle pourra rapidement ajuster elle-même ses doses d'insuline ultra-rapide.

Les compromis à faire entre l'alimentation et l'insulinothérapie

Récapitulons : nous avons jusqu'ici dressé le portrait des habitudes alimentaires qu'avait la personne diabétique avant son diagnostic, puis une option d'insulinothérapie appropriée a été indiquée. Il s'agit maintenant d'élaborer le plan d'alimentation individualisé.

Quels sont les objectifs de ce plan d'alimentation? Principalement ceux-ci :

✓ contribuer au contrôle optimal de la glycémie, notamment en favorisant la mise en réserve de glycogène aux moments appropriés du cycle métabolique ;

✓ satisfaire les besoins de l'organisme en éléments nutritifs, en évitant aussi bien les apports déficients que les apports excessifs.

Nous voici en quelque sorte à la «table de négociation». Deux parties se rencontrent et doivent absolument chercher à s'entendre. D'un côté, il y a le *diabète de type 1 et ses exigences*, représentés à la table par l'équipe de soins. De l'autre côté, il y a le *désir de s'alimenter librement*, représenté par la personne diabétique, et ses parents le cas échéant.

En aucun temps, il ne faudra se contenter d'un «contrat type»! Bien que certaines clauses de l'entente se répètent d'un cas à un autre, d'autres clauses devront être personnalisées.

Combien de clauses se retrouvent dans **tous** les plans d'alimentation? En fait, seulement deux. Mais, admettons-le, ce sont deux éléments exigeants pour la personne diabétique et son entourage. Pour que le plan fonctionne, les deux clauses incontournables sont:

- s'engager à synchroniser les prises alimentaires avec l'action de l'insuline;
- s'engager à tenir compte des quantités d'aliments consommés.

L'application de la première clause ne se fera pas toujours de la même façon, mais dépendra de l'insulinothérapie.

Dans les cas où l'on utilise trois injections par jour, et où l'on a recours à des insulines à action rapide et à action intermédiaire, la synchronisation impliquera: a) d'administrer l'insuline à action rapide au moins 20 minutes avant le déjeuner et le souper, de façon à éviter une hyperglycémie après ces repas; b) de dîner à heure fixe, pour faire coïncider ce repas avec le pic d'action de l'insuline intermédiaire; c) de prendre des collations en avant-midi et en après-midi, pour couvrir l'action résiduelle des deux insulines de l'injection du matin; et d) d'éviter toute prise alimentaire non couverte par l'insuline.

Pour une insulinothérapie à quatre injections par jour, avec de l'insuline à action ultra-rapide à chaque repas, la synchronisation impliquera surtout d'administrer cette insuline quelques minutes avant le repas. La prise de collations en avant-midi et en après-midi ne sera pas systématiquement imposée, mais pourra être requise selon les situations. Là encore, toute prise alimentaire non couverte par l'insuline est à éviter.

Enfin, dans les cas où l'on utilise la pompe à insuline, la synchronisation voudra dire que chaque repas ou collation contenant des glucides devra être immédiatement couvert par un bolus approprié d'insuline à action ultra-rapide. Cependant, le nombre et l'heure des repas et des collations seront beaucoup plus flexibles avec la pompe à insuline qu'avec les injections.

En ce qui a trait à la seconde clause du plan (tenir compte des quantités d'aliments consommés), elle implique que chaque diabétique de type 1, quelle que soit son insulinothérapie, devra développer des habiletés à mesurer ou à estimer les portions d'aliments. L'équipe de soins devra l'aider en ce sens.

Une nuance significative s'impose ici : évaluer les portions **ne signifie pas** automatiquement qu'on devra toujours manger les mêmes quantités.

La régularité dans les portions sera requise surtout dans les cas où les doses d'insuline à action rapide ou ultra-rapide seront prédéterminées et répétées d'une journée à l'autre. Par contre, dans les cas où les doses d'insuline seront ajustées à chaque fois, on pourra faire varier les portions, en fonction de l'appétit ou de la composition du repas.

Cette notion est très importante, et illustre bien le principe du *give and take* dans une négociation. Plus la personne diabétique est prête à s'investir dans la connaissance du rôle de l'insuline et dans le calcul de ses doses, plus elle acquiert de liberté dans ses choix alimentaires !

Parlons maintenant de la collation du soir. Est-elle absolument nécessaire dans tout plan d'alimentation ?

Encore une fois, la réponse varie selon le type d'insulinothérapie. Règle générale, la collation du soir n'est pas requise pour les diabétiques de type 1 traités par pompe à insuline. Elle l'est cependant pour ceux qui reçoivent une injection d'insuline à action intermédiaire le soir. Pourquoi? Tout simplement pour assurer le maintien d'une glycémie suffisamment élevée au milieu de la nuit, alors que l'insuline injectée aura un pic d'action qui risque d'empêcher la mobilisation du glycogène du foie et de provoquer ainsi une hypoglycémie. Nous reviendrons cependant plus en détails sur la collation du soir dans un prochain chapitre.

Nous avons traité jusqu'ici surtout des obligations de la personne diabétique. Si elle s'engage à les respecter, quels avantages peut-elle espérer en contrepartie?

Pour que le plan soit acceptable et « vivable », l'équipe de soins devra s'assurer:

- que, dans l'insulinothérapie, les doses quotidiennes d'insuline à action rapide ou ultra-rapide sont réparties de façon à respecter le mieux possible les habitudes alimentaires du diabétique et le cycle métabolique normal;

- qu'aucun aliment n'est imposé dans le plan;

- qu'aucun aliment n'est *a priori* exclu du plan;

- que la volonté d'engagement du diabétique dans ses choix alimentaires est au cœur des préoccupations, et constitue l'élément central de l'orientation du plan.

Ce dernier élément est crucial. Il faut en effet réaliser que tous les individus n'ont pas les mêmes attentes envers leur plan d'alimentation.

Souvent, et particulièrement dans les premières semaines ou les premiers mois suivant un diagnostic de diabète de type 1, on est un peu désorienté et démuni. C'est tout à fait compréhensible! On recherche alors des repères solides, des balises claires et des conseils précis. On sera mieux servi par un plan fondé sur un guide d'alimentation et des groupes alimentaires, et des exemples de menus quotidiens.

Dans d'autres cas, la personne diabétique aspire surtout à établir elle-même et au jour le jour la composition de ses repas, et ce, dès le début de son diabète, ou encore lorsqu'elle a acquis une certaine expérience. Dans une telle situation, un plan d'alimentation dont l'élément central est le calcul des glucides est une solution plus appropriée.

Revenons à nos deux moineaux…

Antoine (qui est en fait plutôt un Pinson, nous l'avons déjà dit) recevra trois injections d'insuline par jour à la maison, selon des doses prédéterminées. Ses parents s'assureront de lui faire les injections du déjeuner et du souper 20 minutes avant ces repas. Ils souhaitent que leur fils puisse continuer à manger à peu près comme avant, et surtout qu'il n'ait pas besoin d'un menu spécial à la garderie.

La diététiste élabore un plan d'alimentation comprenant trois repas et trois collations par jour, puisque c'est ce qu'Antoine avait déjà l'habitude de prendre. La composition de ces repas et collations est inspirée de ses préférences, et basée sur la présence en quantités déterminées d'aliments de divers groupes, selon un **système d'échanges (ou équivalents) alimentaires**. La diététiste conseille aux parents d'Antoine de demander aux responsables de la garderie de leur fournir à l'avance une copie du menu de la semaine. Ils pourront ainsi vérifier que les aliments proposés aux repas et aux collations correspondent aux groupes d'aliments visés par le plan d'alimentation. Pour certains aliments, ils noteront sur le menu les quantités qui devraient être servies à Antoine. Ils indiqueront aussi quelles substitutions mineures devraient parfois être apportées. Par exemple, il serait important qu'Antoine mange à la collation du matin un aliment un peu plus riche en glucides que des crudités, afin d'éviter un risque d'hypoglycémie. Les parents remettront le menu annoté à l'éducatrice d'Antoine, afin que celle-ci s'assure que le plan est bien suivi à la garderie. Pour le déjeuner, le souper et la collation du soir (ainsi que pour les journées de fins de semaine), ce sont les parents eux-mêmes qui veilleront à ce que la composition des repas et des collations respecte les indications du plan.

Pour Mélanie, c'est l'insulinothérapie à quatre injections par jour qui a été retenue. Lorsqu'elle a fait le bilan de son alimentation habituelle, la diététiste a pu déceler qu'à l'instar de beaucoup de jeunes femmes de sa génération

Mélanie consomme très peu de certains groupes d'aliments (notamment la viande et les légumes frais), ce qui fait que ses apports en fer et en plusieurs vitamines sont plutôt faibles. Par ailleurs, Mélanie ne déjeune à peu près pas, dîne peu, et prend d'assez grosses collations en avant-midi et en après-midi. Elle aura certaines concessions à faire dans ses habitudes pour que ses prises alimentaires coïncident avec l'action de son insuline. Spécifiquement, elle devra déjeuner avant de quitter son appartement et réduire la taille de ses collations du matin et de l'après-midi. En revanche, son dîner pourra être plus substantiel.

Obligée d'accepter ces changements, Mélanie voit déjà ses habitudes passablement perturbées. Doit-on aussi fixer la composition de ses repas en termes de groupes d'aliments, comme pour Antoine?

Après discussion avec Mélanie, qui est prête à s'engager activement dans son alimentation, il est convenu d'adopter plutôt un plan basé sur le **calcul des glucides**. Ça ne signifie pas qu'on abandonne le principe d'une saine alimentation où les sources de fer et de vitamines devront être revalorisées! Mélanie en est d'ailleurs bien consciente. Toutefois, et parallèlement aux efforts qu'elle fera pour améliorer globalement la qualité de son alimentation, son plan d'alimentation sera axé surtout sur l'importance des quantités adéquates de glucides à consommer aux repas et aux collations.

Le système d'échanges alimentaires et le calcul des glucides feront respectivement l'objet du chapitre 3 et des chapitres 4 et 5. On y verra qu'on peut parfois aussi adopter un plan d'alimentation un peu «hybride», faisant appel aux deux méthodes à la fois.

Un dernier mot sur le plan d'alimentation: contrairement à une convention ou à un contrat, le plan d'alimentation n'a pas de durée fixe. On peut en tout temps revenir à la table de négociation et le modifier s'il ne convient plus à la situation!

CHAPITRE 3

Les guides d'alimentation et les systèmes d'échanges alimentaires

On commence à s'en douter, les diabétiques de type 1 n'ont d'autre choix que de devenir des spécialistes de l'alimentation! Et la tâche n'est pas particulièrement facile… En effet, avec la mondialisation du commerce et la multiplication des produits élaborés par l'industrie alimentaire, le consommateur du XXIᵉ siècle se voit proposer une gamme inouïe d'aliments et de produits alimentaires de toutes sortes. Par exemple, savez-vous combien de produits **différents** sont offerts dans un supermarché moyen au Québec? Pas moins de 25 000!

Pour essayer de s'y retrouver, ne serait-ce qu'un peu, beaucoup de moyens sont mis à notre disposition. Ainsi, les emballages des aliments sont une vraie mine d'information, mais souvent en caractères si petits qu'ils en deviennent illisibles, ou en des termes chimiques si rébarbatifs qu'ils ont vite fait de nous couper l'appétit! Il y a aussi quantité d'articles dans les journaux et les magazines, et toute une ribambelle d'experts qui défilent à la radio ou à la télé pour vendre leur salade. En fin de compte, il y a presque autant de conseils que de produits alimentaires différents!

Pour avoir une vue d'ensemble, on peut aussi avoir recours à un **guide d'alimentation**. Celui-ci peut-être défini comme un document qui s'adresse à une population ciblée et qui traduit des besoins nutritionnels en recommandations alimentaires pouvant être adaptées selon l'âge, l'état physiologique et le niveau d'activité physique des individus.

Le guide d'alimentation le plus connu ici est certainement le *Guide alimentaire canadien pour manger sainement* (le *GAC*, pour les intimes). Le *GAC* décrit quatre grands groupes d'aliments : les produits céréaliers, les légumes et fruits, les produits laitiers, ainsi que les viandes et substituts. Un cinquième groupe, les autres aliments, est constitué des aliments et boissons qui ne font pas partie des quatre grands groupes, et qui sont souvent assez riches en gras ou en calories. Le *GAC* s'adresse aux Canadiens de 4 ans et plus, et leur recommande de consommer quotidiennement un certain nombre de portions d'aliments des quatre groupes. Par exemple, il suggère entre 2 et 4 portions de produits laitiers par jour, et entre 5 et 10 portions de légumes et de fruits par jour. Chaque individu peut déterminer à l'intérieur des marges proposées le nombre de portions de chaque groupe qui convient le mieux à sa situation personnelle.

Au cours des dernières décennies, divers guides d'alimentation ont été élaborés spécifiquement pour les diabétiques. Un bon exemple est le *Guide d'alimentation pour la personne diabétique*, publié conjointement en 2003 par Diabète Québec et le ministère de la Santé et des Services sociaux du gouvernement du Québec. Ce guide a pour but d'aider à établir un plan d'alimentation personnalisé et de l'intégrer dans la vie quotidienne du diabétique. On peut obtenir un exemplaire du *Guide d'alimentation pour la personne diabétique* gratuitement en s'adressant à la Direction des communications du ministère de la Santé et des Services sociaux (voir la section Ressources à la fin du livre).

D'autres organismes ont produit des guides d'alimentation semblables. C'est le cas par exemple de l'Association canadienne du diabète, avec le guide *Beyond the Basics : Meal Planning for Healthy Eating*, ou de l'American Diabetes Association, qui publie *Exchange Lists for Meal Planning*.

Élément important à noter : aucun de ces guides ne s'adresse exclusivement aux personnes atteintes de diabète de type 1. Tous concernent également celles qui ont un diabète de type 2 ou encore un diabète de grossesse.

Aussi important à savoir, tous ces guides partent du principe que les personnes diabétiques n'ont pas besoin d'aliments spéciaux. Les aliments qui sont bons pour tout le monde sont bons pour les diabétiques, et réciproquement!

Dans ce chapitre, nous allons nous attarder plus spécifiquement aux caractéristiques du guide québécois, ainsi qu'aux façons dont on peut l'utiliser pour établir un plan d'alimentation pour une personne diabétique de type 1.

Un peu de Nutrition 101

Avant d'aller plus loin, il faut savoir que les aliments que nous mangeons contiennent des éléments nutritifs qu'on peut globalement classer en deux grandes catégories : les micronutriments et les macronutriments. Beaucoup d'autres types de molécules peuvent aussi être présents dans les aliments, par exemple celles qui confèrent des arômes ou des saveurs, ou encore des ingrédients comme la caféine ou les colorants, mais seuls les micronutriments et les macronutriments jouent un rôle nutritionnel.

Parmi les micronutriments, qui sont en très petites quantités dans l'aliment, on retrouve les vitamines et les minéraux. Ces éléments sont essentiels soit pour assurer la croissance, le renouvellement et le maintien des tissus du corps humain, soit parce que leur présence est absolument requise pour que certaines réactions métaboliques fonctionnent correctement. Cependant, les micronutriments ne fournissent pas de calories.

De leur côté, les macronutriments sont présents en plus grandes quantités dans les aliments, et ils se divisent en quatre groupes : les glucides, les protéines, les lipides et l'alcool. Seuls les trois premiers groupes sont essentiels au métabolisme humain. La caractéristique commune aux macronutriments est qu'ils fournissent des calories et peuvent ainsi combler nos besoins énergétiques.

Comme on le sait, les aliments contiennent tous des nutriments, mais tous les aliments ne contiennent pas les mêmes nutriments. De ce fait, aucun aliment (sauf le lait maternel pour le nouveau-né) ne peut combler à lui seul tous les besoins nutritionnels de l'organisme.

Bien que chaque aliment ou produit alimentaire ait une composition en éléments nutritifs qui lui est propre, plusieurs aliments présentent des compositions relativement semblables. La raison en est souvent qu'ils partagent une même origine, végétale ou animale.

Vous rappelez-vous que le corps humain stocke très peu de glucides, si ce n'est un peu de glycogène dans le foie et les muscles? Eh bien, c'est la même chose pour les autres espèces animales, qu'il s'agisse de morue, de poulet, de bœuf, ou autre... De plus, lors du processus de maturation après l'abattage de ces animaux, les réserves de glycogène sont rapidement réduites à néant. C'est la raison pour laquelle le poisson et la viande blanche ou rouge ne contiennent que des protéines et des lipides, et pas de glucides.

Autre exemple, cette fois chez les végétaux : toutes les céréales font partie de la famille des graminées et elles possèdent toutes des graines, dans lesquelles elles stockent d'importantes réserves d'amidon. Les graines sont recouvertes d'abord d'une fine enveloppe composée de protéines, vitamines et éléments minéraux, et d'une couche plus grossière de fibres. Ainsi, toutes les farines à grains entiers (blé, avoine, riz, maïs, orge...) fournissent à peu près les mêmes éléments nutritifs : beaucoup de glucides (l'amidon), passablement de fibres, un peu de protéines, des vitamines et des minéraux.

Quand on cherche à regrouper les aliments selon des caractéristiques communes, plusieurs critères peuvent être retenus. Ainsi, dans le *Guide alimentaire canadien pour manger sainement*, les critères sont les suivants : les aliments d'un même groupe sont d'origine semblable, ils partagent des teneurs similaires en protéines, et ils sont des sources des mêmes vitamines ou minéraux.

Dans les guides d'alimentation à l'intention des personnes diabétiques, ce sont surtout les apports en macronutriments qui retiennent l'attention. Les groupes d'aliments sont donc constitués sur la base de teneurs similaires en glucides, protéines et lipides.

Le *Guide d'alimentation pour la personne diabétique*

Les groupes d'aliments

Dans ce guide, les aliments et produits alimentaires sont répartis en **sept groupes**. Ce sont :

- ✓ Les Féculents
- ✓ Les Fruits
- ✓ Les Légumes
- ✓ Le Lait
- ✓ Les Viandes et substituts
- ✓ Les Matières grasses
- ✓ Les Aliments avec sucre ajouté

Comme on s'y attend, les aliments d'un même groupe partagent des proportions semblables en macronutriments. Mais, outre les proportions, les **quantités** de glucides, de protéines et de lipides sont importantes. Et, pour deux aliments d'un même groupe, ce ne sont pas toujours des portions identiques qui vont contenir des quantités semblables de macronutriments et de calories.

Le système d'échanges

Le *Guide d'alimentation pour la personne diabétique* précise donc, pour chaque groupe, les quantités ou les portions des divers aliments qui correspondent à un **échange** (on dit aussi un **équivalent**).

Ainsi, on considère qu'un échange de Féculents contient en moyenne 15 grammes de glucides, 2 grammes de protéines, 0 gramme de lipides et 70 calories.

Par exemple, chacune des portions suivantes d'aliments représente **1 échange de Féculents** :

- 1 tranche de pain
- 75 ml de riz cuit
- 125 ml de pâtes alimentaires cuites
- 175 ml de gruau nature cuit

- 4 biscuits secs (ex. : Petit Beurre)
- 1 petite pomme de terre bouillie
- 150 ml de pois verts

On peut le constater, le groupe des Féculents ne contient pas que des produits céréaliers. On y retrouve aussi les légumes riches en amidon.

Des exemples d'échanges d'autres groupes ? En voici :

1 échange de Fruits (soit 15 g de glucides, 0 g de protéines, 0 g de lipides, 60 calories) :

- ½ banane moyenne
- 15 cerises
- 1 petite pomme fraîche
- 125 ml de salade de fruits en conserve

1 échange de Légumes (soit 5 g de glucides, 2 g de protéines, 0 g de lipides, 25 calories) :

- ½ oignon moyen
- 75 ml de rutabaga
- 125 ml de jus de légumes
- 250 ml de chou-fleur
- 500 ml de laitue

1 échange de Lait (soit 12 à 15 g de glucides, 8 g de protéines, 0 à 9 g de lipides, 90 à 160 calories) :

- 250 ml de lait
- 175 ml de yogourt nature
- 60 g de fromage frais (ex. : Minigo [MD])

À noter que les fromages autres que les fromages frais contiennent très peu de glucides. Ils sont donc classés dans le groupe des viandes et substituts.

1 échange d'Aliments avec sucre ajouté (soit 15 g de glucides, quantité variable de protéines, de lipides et de calories) :

- 125 ml de boisson gazeuse ordinaire
- 125 ml de gélatine aromatisée (Jell-O ᴹᴰ)
- 3 bonbons durs
- 30 g de chocolat au lait
- 15 ml de sucre blanc, de sirop d'érable ou de mélasse
- 3 gaufrettes à la vanille

1 échange de Viandes et substituts (soit 0 g de glucides, 8 g de protéines, 0 à 3 g de lipides, 60 calories) :

- 30 g de bœuf maigre
- 30 g de poulet
- 30 g de poissons variés
- 75 ml de fromage cottage
- 1 gros œuf

Deux choses à noter pour le groupe des Viandes et substituts : 1) la quantité de viande, volaille ou poisson qui constitue un échange, soit 30 g, est sensiblement plus faible que la taille des portions habituellement consommées (on verra plus loin comment en tenir compte dans le plan d'alimentation) ; 2) les légumineuses occupent une place particulière dans le *Guide* : 125 ml de légumineuses cuites représentent à la fois 1 échange de Viandes et substituts **et** un échange de Féculents. Pourquoi ? Parce qu'outre le lait, qui a son propre groupe, les légumineuses sont à peu près les seuls aliments à contenir des quantités substantielles à la fois de glucides et de protéines.

1 échange de Matières grasses (soit 0 g de glucides, 0 g de protéines, 5 g de lipides, 45 calories) :

- 5 ml d'huile végétale
- 5 ml de margarine molle non hydrogénée
- 10 ml de vinaigrette ordinaire
- 30 ml de crème 35 % fouettée
- 2 petites tranches de bacon bien cuit

Vous l'aurez sans doute remarqué, même si les aliments d'un même groupe partagent des teneurs similaires en macronutriments et en calories, ils n'ont pas nécessairement tous les mêmes mérites sur le plan de la valeur nutritive globale ! Le dernier groupe en est une bonne illustration : les « bons gras » et les « mauvais gras » s'y côtoient allégrement !

Bien sûr, le *Guide* nous invite à faire les meilleurs choix possible, et donne plusieurs indications pour y arriver.

En plus des sept groupes « officiels », qui ont chacun une teneur distincte en calories et en macronutriments, il existe un huitième groupe dans le *Guide d'alimentation pour la personne diabétique*. C'est le groupe des **Aliments à faible valeur énergétique**. Il s'agit d'aliments divers qui partagent la caractéristique commune de renfermer des quantités nulles ou négligeables de glucides, protéines et lipides, d'où leur très faible contenu en calories (ou « faible valeur énergétique »). Pour certains de ces aliments, la caractéristique s'applique, peu importe la quantité. Pour d'autres aliments de ce groupe, ce sont seulement pour des quantités spécifiées (qui correspondent habituellement aux quantités consommées) qu'on pourra dire qu'ils appartiennent au groupe des Aliments à faible valeur énergétique.

Quelques exemples d'échanges :

- épices, fines herbes, assaisonnements
- boissons gazeuses hypocaloriques (diète)
- café, thé et tisane natures
- 15 ml de ketchup
- 45 ml de salsa
- 1 bonbon dur sans sucre
- gomme à mâcher sans sucre

Les échanges dans le plan d'alimentation d'une personne diabétique

Dans la section précédente, nous avons indiqué pour chaque groupe d'aliments les teneurs moyennes d'un échange en matière de glucides, protéines, lipides et calories.

Les personnes diabétiques doivent-elles mémoriser toutes ces valeurs ? Pas du tout !

En effet, et c'est l'intérêt du système, tout ce qu'il faut savoir et retenir est **le nombre et la répartition des échanges** qui sont proposés dans le plan d'alimentation. Bien sûr, celui-ci étant individualisé et fondé sur les habitudes et les préférences alimentaires, chaque personne diabétique de type 1 aura son propre nombre d'échanges pour chaque groupe d'aliments, répartis entre les repas et les collations en fonction de son insulinothérapie.

Évidemment, il peut y avoir des similitudes d'un plan à un autre, car les besoins en macronutriments et en énergie peuvent être semblables entre les individus ayant un même niveau d'activité physique.

Règle générale, pour un adolescent ou un adulte diabétique, on considère qu'un plan d'alimentation « santé » devrait inclure **au moins** :

- ✓ 6 échanges de Féculents
- ✓ 3 échanges de Fruits
- ✓ 2 échanges de Légumes
- ✓ 2 échanges de Lait

✓ 6 échanges de Viandes et substituts

✓ un petit nombre d'échanges de Matières grasses et d'Aliments avec sucre ajouté

Si l'adolescent ou l'adulte en question est très actif physiquement, le nombre d'échanges sera beaucoup plus élevé.

À l'inverse, pour un très jeune enfant diabétique dont les besoins énergétiques sont plus bas, le nombre d'échanges pourra être moins élevé. Une exception cependant : chez les enfants aussi, les échanges de Lait doivent être d'au moins deux par jour.

Les généralités, c'est bien beau… Mais, plus précisément, comment détermine-t-on le nombre d'échanges pour une journée chez une personne diabétique de type 1 ?

D'abord, on se souviendra qu'au chapitre 2 on a expliqué comment, à partir de relevés alimentaires, la diététiste pouvait évaluer la consommation habituelle de la personne diabétique en matière de calories, glucides, protéines et lipides.

Pour savoir si le niveau habituel de calories est adéquat, le meilleur repère est le poids de la personne. Quand on est à un poids santé, c'est signe que la consommation habituelle est adéquate. Si on est en dessous du poids santé, la consommation est trop faible : il faudrait l'augmenter. Si on est au-dessus, elle est probablement trop élevée pour le niveau d'activité, et un meilleur équilibre doit être recherché.

Une fois établi le nombre de calories nécessaires pour une journée, la diététiste alloue un certain nombre d'échanges pour chaque groupe d'aliments, en essayant de respecter le mieux possible les habitudes et les préférences de la personne.

Enfin, dans le total des échanges alloués, la diététiste vérifie la proportion des glucides (qui devraient représenter environ la moitié des calories de la journée), des protéines (qui devraient compter pour 15 % à 20 % des calories) et des lipides (qui devraient représenter un peu moins du tiers des calories).

Nous avons traité du nombre d'échanges; parlons maintenant de leur répartition. C'est ici qu'il faut se rappeler de certains concepts déjà évoqués concernant d'une part la digestion et l'absorption des aliments, et d'autre part l'action de l'insuline externe administrée à la personne diabétique.

Les échanges dans les repas principaux

Tel que mentionné au chapitre 1, le temps de séjour dans l'estomac et la vitesse de digestion des glucides et d'absorption du glucose dépendent principalement de deux facteurs: la quantité d'aliments consommés et la composition du repas. Plus la quantité consommée à la fois est petite, plus le passage des aliments et leur absorption sont rapides. Inversement, plus les quantités sont grandes, plus le processus s'étale dans le temps.

Par ailleurs, plus le repas est composé de divers éléments, plus le temps de séjour dans l'estomac est long. Par exemple, un repas qui contient des glucides, mais aussi des sources de lipides, de protéines et de fibres, sera digéré et absorbé de façon beaucoup plus graduelle qu'un repas composé surtout de glucides.

Pour une personne diabétique de type 1, qu'est-ce qui est le plus souhaitable? Clairement, c'est d'étaler le processus de digestion et d'absorption dans le temps. Rappelons-nous en effet que l'insuline qu'elle reçoit, même si elle est à action rapide ou ultra-rapide, n'arrivera jamais à se présenter tout d'un coup dans la veine porte, comme il le faudrait si une quantité très importante de glucose y était absorbée rapidement.

Donc, dans la répartition des équivalents, on s'assurera que chaque repas principal ne contient pas seulement des aliments riches en glucides, tels que ceux des groupes des Féculents, des Fruits et des Aliments avec sucre ajouté, mais qu'il y aura aussi des échanges des groupes des Viandes et substituts et des Matières grasses, qui fourniront les protéines et les lipides nécessaires à l'étalement de la digestion et de l'absorption. Pour la même raison, on privilégiera dans le groupe des Féculents, de même que dans ceux des Fruits et des Légumes, des aliments qui sont riches en fibres alimentaires.

Les échanges du déjeuner

Le déjeuner est un repas essentiel qui présente une caractéristique particulière. En effet, il est consommé habituellement tôt le matin, au moment où les hormones de contre-régulation du glucose sont encore très actives dans l'organisme (revoir au besoin le chapitre 1). Qu'est-ce que cela signifie ? Que l'insuline aura plus de difficulté à jouer ses rôles principaux, à savoir de faire entrer le glucose sanguin dans les cellules musculaires et adipeuses et de favoriser la mise en réserve de glycogène. Le résultat ? La glycémie aura tendance à être plus élevée pendant quelques heures.

Sachant cela, on pourrait envisager deux options : donner plus d'insuline à action rapide ou ultra-rapide au déjeuner, ou ne pas consommer de glucides le matin.

Mais, si on donne beaucoup d'insuline, celle-ci risque d'avoir un effet trop fort au moment où les hormones de contre-régulation céderont la place, ce qui provoquera à coup sûr une hypoglycémie. Et si on ne consomme pas de glucides, le niveau d'énergie du corps sera rapidement à la baisse…

En fait, la meilleure solution consiste plutôt à avoir recours aux deux stratégies à la fois : donner un peu plus d'insuline à action rapide ou ultra-rapide le matin, et modérer la consommation de glucides.

On inclura donc des échanges de Féculents, de Fruits, de Lait et éventuellement d'Aliments avec sucre ajouté dans le déjeuner, mais en mettant la pédale douce !

Les échanges des collations

On l'a vu au chapitre 2, des collations sont requises chez les personnes diabétiques qui reçoivent trois injections d'insuline par jour, et elles peuvent être également requises chez les personnes qui ont quatre injections ou plus.

En avant-midi et en après-midi, les collations servent à couvrir l'action résiduelle de l'insuline injectée. Elles sont donc consommées surtout pour éviter une hypoglycémie, et non pas parce que le diabétique a une faim dévorante (dans lequel cas, il faudrait revoir tout son plan d'alimentation !).

Dans la répartition des échanges, on s'assurera donc que les collations d'avant-midi et d'après-midi, si elles sont nécessaires, contiennent une petite quantité d'aliments qui sont des sources de glucides (ex. : Féculents, Fruits), et dont la digestion sera idéalement graduelle plutôt que très rapide. Ainsi, parmi les aliments du groupe Fruits, un fruit frais, qu'on prend quelques minutes à mastiquer et qui contient des fibres, sera préférable à un jus de fruits avalé en quelques secondes et absorbé presque sur-le-champ ! De la même façon, un Féculent riche en fibres sera un meilleur choix qu'un autre qui n'en contient pas.

Nuançons de nouveau ! Les personnes diabétiques n'ont pas toutes les mêmes besoins, et c'est vrai aussi en ce qui a trait aux collations du matin et de l'après-midi ! Par exemple, un enfant diabétique aura besoin de plus de glucides dans sa collation de l'après-midi s'il joue au soccer avec ses amis au retour de l'école que s'il s'installe devant la télé. L'insuline a cette particularité : plus on bouge, moins il en faut ! Pour couvrir son action résiduelle, il faut donc plus de glucides lorsqu'on est actif que lorsqu'on est sédentaire.

Par ailleurs, nous avons déjà signalé que la consommation d'une collation en soirée était importante chez toute personne diabétique de type 1 qui reçoit au coucher une injection d'insuline à action intermédiaire. Cette collation doit fournir des glucides lentement digérés, mais aussi d'autres éléments nutritifs qui favoriseront le maintien de la glycémie en milieu de nuit. Habituellement, un mélange de glucides et de protéines est approprié. Des aliments appartenant aux groupes qui en fournissent (ex. : échanges de Lait, ou combinaison de Féculents et de Viandes et substituts) seront préconisés à la collation du soir dans le plan d'alimentation.

Un exemple d'application

Au chapitre 2, nous avons fait la connaissance d'Antoine, diabétique depuis peu, âgé de trois ans et demi et fréquentant la garderie.

En raison de l'option d'insulinothérapie qui a été retenue pour lui (trois injections par jour), et parce que ses habitudes quotidiennes sont déjà très régulières, il a été convenu avec ses parents qu'un plan d'alimentation fondé sur le système d'échanges serait la meilleure solution dans son cas, du moins pour les premiers temps.

Le plan d'Antoine

Après avoir évalué que la consommation habituelle d'Antoine satisfaisait ses besoins énergétiques, et après avoir déterminé et réparti ses échanges entre les repas et les collations tel que requis par son insulinothérapie, la diététiste propose le plan d'alimentation suivant.

Déjeuner (entre 7 h et 7 h 30)

- ❖ 1 échange de Féculents
- ❖ 1 échange de Fruits
- ❖ ½ échange de Lait
- ❖ 1 échange de Viandes et substituts

Collation avant-midi (vers 10 h)

- ❖ 1 échange de Fruits

Dîner (entre 11 h 30 et midi)

- ❖ 2 échanges de Féculents
- ❖ 1 échange de Légumes
- ❖ ½ échange de Lait
- ❖ 2 échanges de Viandes et substituts
- ❖ 2 échanges de Matières grasses
- ❖ 1 échange d'Aliments avec sucre ajouté

Collation de l'après-midi (vers 15 h)

* ❖ 1 échange de Féculents
* ❖ 1 échange de Viandes et substituts

Souper (entre 17 h 15 et 17 h 45)

* ❖ 2 échanges de Féculents
* ❖ 1 échange de Légumes
* ❖ ½ échange de Lait
* ❖ 2 échanges de Viandes et substituts
* ❖ 1 échange de Matières grasses
* ❖ 1 échange d'Aliments avec sucre ajouté

Collation du soir (vers 19 h 30)

* ❖ 1 échange de Féculents
* ❖ ½ échange de Lait
* ❖ 1 échange de Viandes et substituts

Notons que le plan ne précise pas de nombres d'échanges d'Aliments à faible valeur énergétique. Ce n'est pas qu'ils ne seront pas inclus, c'est tout simplement qu'on pourra en ajouter ou non aux repas ou aux collations, selon les jours et les occasions. Question de goût personnel !

Par rapport à l'alimentation habituelle d'Antoine, ce plan contient un peu plus de calories, de glucides et de protéines. C'est dû principalement au fait qu'on a inclus un échange de Viandes et substituts au déjeuner, et qu'on a augmenté quelque peu les collations d'avant-midi et de soirée.

Antoine arrivera-t-il à manger tout cela ? On peut penser que oui, surtout que, dans presque tous les cas, le début de l'insulinothérapie entraîne une augmentation de l'appétit. Le corps a vécu des semaines difficiles, il veut se refaire une santé ! Emmenez-en, des calories !

Les exemples de menu

Pour bien des gens, le langage des échanges n'est peut-être pas du chinois, mais pas loin ! Un décodeur est requis…

Pour faciliter la compréhension du plan, la diététiste choisira souvent de traduire le terme « échanges (ou « équivalents ») par l'expression plus courante de « portions ». Attention toutefois : il est vrai que les deux termes sont d'assez proches synonymes pour certains groupes d'aliments, par exemple les Féculents (ex. : 1 tranche de pain = 1 échange = 1 portion usuelle) ou les Fruits (ex. : 1 orange moyenne = 1 échange = 1 portion usuelle). Mais, pour d'autres groupes, il y a des différences. Par exemple, la quantité comptant pour une portion usuelle de viande est souvent d'environ 3 onces, ou 90 grammes, alors que cette quantité compte pour 3 échanges de Viandes et substituts (1 échange = 30 grammes). À l'inverse, pour le lait, 250 millilitres représentent un échange, mais les jeunes enfants ne consomment pas systématiquement cette quantité. Notre ami Antoine, par exemple, boit plutôt son lait dans un petit verre, et dépasse rarement 125 millilitres par repas. C'est la raison pour laquelle, dans son plan d'alimentation, la diététiste a réparti ses deux échanges de lait quotidiens en quatre demi-échanges.

Donc, lorsqu'elle présentera le plan d'alimentation aux parents d'Antoine, la diététiste pourra y aller en nombre de portions, en faisant les adaptations nécessaires. Par exemple, la composition du dîner serait la suivante.

- ❖ 2 portions de Féculents
- ❖ 1 portion de Légumes
- ❖ 1 portion de 125 ml de Lait

- ❖ 1 petite portion (environ 60 grammes) de Viandes et substituts
- ❖ Environ 2 cuillerées à thé de Matières grasses
- ❖ 1 petite portion d'Aliments avec sucre ajouté

En plus d'expliquer en termes clairs le plan d'alimentation, la diététiste va aussi s'assurer de remettre aux parents d'Antoine le *Guide d'alimentation pour la personne diabétique* (qui illustre bien le système de groupes d'aliments et fournit des listes exhaustives d'aliments couramment consommés), de même que des exemples de menus quotidiens.

Bien sûr, ces derniers ne sont pas des modèles à suivre aveuglément, mais plutôt la traduction concrète, en nombre de portions d'aliments usuels, de menus que la personne diabétique serait susceptible de consommer, sur semaine et en fin de semaine.

Exemple de menu pour Antoine, pour un jour de semaine

Déjeuner : 175 ml de céréales Cheerios^{MD} avec 125 ml de lait 2 %

125 ml de jus d'orange

Un bâtonnet de fromage mozzarella à effilocher (ex. : Ficello^{MD})

Collation d'avant-midi : 30 ml de raisins secs

Dîner : Macaroni à la viande et aux tomates (environ 1 tasse de pâtes cuites, deux onces ou 60 grammes de bœuf haché, cuit dans du beurre ou de la margarine, 125 ml de tomates en conserve)

125 ml de lait

2 biscuits aux pépites de chocolat

Collation d'après-midi : 4 toasts Melba avec 2 tranches de fromage fondu

Souper : Soupe aux riz (environ 200 ml) avec 2 biscuits soda

Environ 60 grammes de poulet rôti, servi avec sauce

125 ml de pommes de terre en purée, 75 ml de carottes cuites

125 ml de lait

125 ml de sorbet

Collation de soirée : 1 tranche de pain multigrains avec 30 ml de beurre d'arachides

125 ml de lait

Exemple de menu pour Antoine, pour un jour de fin de semaine

Déjeuner: 1 rôtie de pain de blé entier avec 30 g de cretons maigres

125 ml de lait 2%

Une orange en quartiers

Collation d'avant-midi: 125 ml de compote de pommes sans sucre ajouté

Dîner: ½ pain à sous-marin avec une tranche de jambon, une tranche de dinde, beurre, moutarde et laitue

125 ml de jus de légumes

60 g de fromage frais (ex.: Petit Danone[MD]) et 3 gaufrettes à la vanille

Collation d'après-midi: Un bâtonnet de fromage à effilocher et 2 biscuits Village[MD]

Souper: 6-7 carottes miniatures avec trempette (mayonnaise et ketchup)

Pâté chinois: environ 60 grammes de viande hachée maigre, 125 ml de pommes de terre en purée, 125 ml de maïs en grains

125 ml de lait

125 ml de pouding au chocolat

Collation de soirée: 125 ml de lait et 2 petites pointes de sandwich aux œufs

Comment savoir si le plan fonctionne?

Bien sûr, la meilleure façon de s'assurer que le plan d'alimentation fonctionne, c'est de l'essayer! Et c'est aussi d'observer ses effets sur la glycémie et sur l'appétit de la personne diabétique.

Pendant les premiers jours, on notera tous les aliments consommés aux repas et aux collations afin de vérifier si le plan a été appliqué correctement, c'est-à-dire qu'on a fait les bons choix parmi les groupes d'aliments et qu'on en a consommé les bonnes quantités.

Comme on aura aussi mesuré la glycémie au moins quatre fois par jour, on pourra également vérifier l'effet glycémique du plan d'alimentation. On vise bien sûr à atteindre les valeurs cibles de glycémie à jeun et de glycémie avant les repas, valeurs cibles déterminées avec l'équipe de soins.

Plusieurs cas peuvent se présenter :

- *Le plan est bien suivi et satisfait bien l'appétit de la personne, mais les glycémies sont systématiquement trop hautes.* Il faut ajuster les doses d'insuline à la hausse.

- *Le plan est bien suivi et satisfait bien l'appétit de la personne, mais il survient fréquemment des hypoglycémies, souvent aux mêmes heures de la journée.* Il faut réduire la dose d'insuline problématique, ou ajuster le nombre ou le choix des échanges du repas en cause.

- *Le plan est bien suivi et les glycémies sont généralement dans les marges cibles, mais l'appétit n'est pas comblé adéquatement (la personne a toujours trop faim, ou encore elle doit se forcer pour manger tout ce que son plan prévoit).* Le nombre et la répartition des échanges doivent être révisés selon la situation, ce qui entraînera sans doute aussi un ajustement des doses d'insuline.

On le sait, avec le diabète de type 1, la glycémie est influencée par l'insuline et l'alimentation, mais aussi par **l'activité physique** ! Évidemment, on encourage toujours la personne diabétique à être la plus active possible. Mais on sait aussi que, selon les journées et les circonstances, les activités peuvent varier. Il faut le prévoir dans le plan d'alimentation : celui-ci doit être élaboré en tenant compte du niveau d'activité habituel, mais il doit aussi spécifier les ajustements à faire dans la composition des repas ou des collations pour les occasions où surviennent des activités plus intenses.

Déroger au système d'échanges, est-ce très grave ?

On se rappelle qu'un plan d'alimentation, quel qu'il soit, vise deux grands objectifs : contribuer au contrôle optimal de la glycémie et satisfaire les besoins de l'organisme en éléments nutritifs.

Un plan d'alimentation fondé sur un système d'échanges est particulièrement propice à l'atteinte de ces deux objectifs, puisqu'il mise à la fois sur la régularité dans la composition des repas et collations et sur la variété des aliments.

Si un diabétique de type 1 ne respecte pas le nombre ou la répartition des échanges prévus à son plan, qu'est-ce qui risque de lui arriver ? La réponse est : ça dépend !

En effet, il faut introduire ici une nouvelle notion relative aux systèmes d'échanges. Jusqu'ici, on a parlé des groupes d'aliments. Mais il faut aussi réaliser que, sur les sept groupes, il y en a **deux qui ne contiennent pas de glucides** : ce sont les Viandes et substituts, de même que les Matières grasses.

Bien que, comme nous l'avons vu plus haut, les aliments de ces groupes puissent avoir un effet sur la vitesse de digestion et d'absorption intestinales, ils ont globalement un **effet glycémique beaucoup plus faible** que les aliments des cinq autres groupes.

Ainsi, si une personne diabétique de type 1 omet occasionnellement de consommer les échanges de Viandes et substituts ou de Matières grasses prévus à son plan, ou encore si elle en consomme un peu plus ou un peu moins que ce qui est indiqué, cela ne risque pas beaucoup d'affecter le contrôle de sa glycémie.

C'est bon à savoir ! Ça peut permettre des ajustements pour pallier des situations particulières. Par exemple, si un enfant diabétique arrive au souper et qu'il n'a vraiment pas faim, on pourra insister un peu moins pour qu'il termine sa viande. Au contraire, si on va un soir manger du poulet barbecue au restaurant, on se permettra pour une fois toute la poitrine et sa peau, même si on «défonce» nos échanges de Viandes et substituts et de Matières grasses !

Il faut cependant distinguer ces modifications occu... situations d'écarts systématiques. Par exemple, si une personne diau... n'inclut aucune source de protéines dans ses repas principaux plusieurs fois par semaine, ou encore abuse régulièrement des matières grasses, elle se place dans une situation de carence ou d'excès qui peut affecter sa santé ou son poids, à plus ou moins long terme.

Qu'en est-il maintenant des cinq autres groupes (les Féculents, les Légumes, les Fruits, le Lait et les Aliments avec sucre ajouté)? Comme ils contiennent tous des glucides en quantités significatives, le fait de les omettre ou encore d'en consommer plus que prévu risque d'avoir un effet très direct sur la glycémie. Il est donc important dans ce cas de respecter ce qu'indique le plan.

Toutefois, comme plusieurs de ces groupes ont des teneurs comparables en glucides, on peut, une fois le plan bien rodé, se permettre des «substitutions intergroupes», tel que décrit ci-dessous.

Les substitutions entre groupes, un premier pas vers la liberté...

Aviez-vous remarqué que les Féculents, les Fruits, le Lait et les Aliments avec sucre ajouté ont une caractéristique commune? En effet, leurs teneurs en protéines et en lipides diffèrent passablement, mais, dans chacun de ces groupes, **un échange contient à peu près 15 grammes de glucides**. Et qu'est-ce que ça implique? Qu'ils auront globalement des effets semblables sur la glycémie.

Bien sûr, et on en a parlé plus haut, la détermination du nombre et de la répartition des échanges entre les groupes d'aliments ne s'est pas faite au hasard. On les a inclus dans le plan pour favoriser la meilleure valeur nutritive possible. Mais, de savoir qu'on peut les interchanger de temps en temps, n'est-ce pas aussi une bonne nouvelle?

Concrètement, comment fait-on ce genre de « permutations » ? Revenons à l'exemple du petit Antoine. Pour le souper, son plan prévoit, outre les Légumes, les Viandes et substituts et les Matières grasses, les échanges suivants :

– 2 Féculents

– ½ Lait

– 1 Aliment avec sucre ajouté

Occasionnellement, on pourra omettre les Féculents et les substituer par deux échanges additionnels d'Aliments avec sucre ajouté. Trois échanges, ça peut être synonyme d'un bon gros beignet glacé au chocolat, ou encore d'un morceau du gâteau d'anniversaire de sa cousine !

Donc, si Antoine prend un plat principal ne contenant que ses échanges de Légumes, de Viandes et substituts et de Matières grasses (ex. : omelette au fromage et haricots verts, ou ailes de poulet avec salade de carottes), il pourra avoir un dessert beaucoup plus substantiel à déguster avec son verre de lait !

La méthode des carrés de sucre

Pour faciliter la compréhension des substitutions intergroupes, on utilise dans le *Guide d'alimentation pour la personne diabétique* des repères visuels pour illustrer le contenu en glucides de chacun des groupes alimentaires : les carrés de sucre.

Chaque carré de sucre (❑) représente 5 grammes de glucides. Pour les groupes des Féculents, des Fruits, du Lait et des Aliments avec sucre ajouté, 1 échange vaut ❑ ❑ ❑.

Pour le groupe des Légumes, 1 échange vaut ❑.

Si on opte pour cette méthode, le plan d'alimentation pourra préciser, pour chaque repas et collation, le nombre total de carrés de sucre alloués.

Dans le plan d'Antoine, les nombres de carrés de sucre seraient les suivants.

Déjeuner : 7,5

Collation d'avant-midi : 3

Dîner : 11,5

Collation d'après-midi : 3

Souper : 11,5

Collation de soirée : 4,5

Pour les occasions spéciales, les parents d'Antoine pourraient utiliser la méthode des carrés de sucre dans le choix des aliments. En se référant aux listes d'échanges du *Guide d'alimentation pour la personne diabétique*, ils s'assureraient que les quantités des divers aliments choisis totalisent bien le nombre de carrés de sucre alloués pour chaque repas et collation.

Que fait-on pour les aliments qui ne sont pas dans les listes ?

Bien que la plupart des guides d'alimentation à l'intention des personnes diabétiques fournissent des listes assez longues d'échanges pour chaque groupe d'aliments, il est bien certain qu'aucun guide ne peut couvrir les milliers d'aliments vendus sur le marché.

Par exemple, le *Guide d'alimentation pour la personne diabétique* inclut 115 aliments et produits alimentaires dans sa liste d'échanges du groupe des Féculents. C'est beaucoup, mais en même temps c'est peu quand on pense à toute la variété possible de céréales, de produits de boulangerie, de pâtes alimentaires, de légumineuses et de légumes féculents !

Alors que faire si l'aliment qu'on veut consommer ne figure pas dans nos listes ?

Ce serait vraiment pratique si les fabricants indiquaient sur les étiquettes les nombres d'échanges que leurs produits représentent dans un plan d'alimentation pour personne diabétique !

En fait, cette méthode a déjà été mise de l'avant par l'Association canadienne du diabète, et vous l'avez peut-être déjà vue. Sur les étiquettes de certains produits alimentaires figuraient divers symboles (des carrés, des étoiles, des losanges, des cercles…), chaque symbole représentant un échange alimentaire différent.

Pour diverses raisons, mais surtout parce que les consommateurs avaient souvent l'impression (erronée) qu'un produit alimentaire arborant ces symboles était un produit « approuvé » par l'Association canadienne du diabète, celle-ci a décidé qu'à compter de 2005 les symboles devaient être retirés de toutes les étiquettes.

La solution consiste alors à consulter le **tableau de valeur nutritive** qu'on retrouve sur l'étiquette du produit. On pourra y repérer sa teneur en glucides, de même que sa teneur en fibres. Ces dernières n'ayant aucun effet sur la glycémie, on les soustraira du total pour obtenir la quantité « nette » de glucides que contient une portion de l'aliment. Nous reviendrons plus en détails dans les deux prochains chapitres sur la détermination des glucides à partir des étiquettes des produits.

Une fois la teneur en glucides connue, on la divise par 5 pour obtenir le nombre de carrés de sucre que cette portion d'aliment représente. On se souvient en effet qu'un carré de sucre contient 5 grammes de glucides.

Exemple

Jeudi soir, la mère d'Antoine est sortie du bureau plus tard qu'à l'habitude. Elle s'est arrêtée au supermarché pour acheter une pizza végétarienne préparée, qu'elle n'aura qu'à réchauffer pour le souper.

Le tableau de valeur nutritive sur l'emballage lui apprend qu'une portion de 115 g, soit le sixième de la pizza, renferme 33 grammes de glucides, dont 2 grammes de fibres. La mère d'Antoine calcule rapidement : $(33 - 2) \div 5$, pour estimer que cette portion de pizza, qui convient à l'appétit habituel de son fils, compte pour 6 carrés de sucre. Comme 11,5 carrés de sucre sont alloués pour le souper dans le plan d'alimentation, la pointe de pizza peut y être incluse, ainsi que le verre de lait (1,5 carré de sucre). Le repas d'Antoine sera complété par d'autres aliments qui compteront ensemble pour les 4 carrés de sucre restants.

En ayant recours au décompte des carrés de sucre, la mère d'Antoine s'est aussi évité la grande question « existentielle » que posent souvent les mets composés, telle la pizza, à savoir : cela représente combien d'échanges de chacun des 7 groupes d'aliments ?

Conclusion

Dans ce chapitre, nous avons vu comment était élaboré un plan d'alimentation fondé sur un système d'échanges.

Ce genre de plan comporte des avantages indéniables. En le suivant, la personne diabétique a toutes les chances de voir ses besoins en macronutriments et en micronutriments comblés, elle s'assure de respecter la régularité dans ses repas et collations, et elle peut en même temps composer ses menus selon ses habitudes et ses préférences.

Autre avantage marqué : à part les ajustements du début, la personne diabétique n'a normalement pas à modifier ses doses d'insuline d'une journée à l'autre.

Une fois le plan connu et maîtrisé, elle peut ensuite accéder à une plus grande liberté dans ses choix alimentaires en ayant recours, à l'occasion, aux substitutions intergroupes, ou à la méthode des carrés de sucre pour inclure des mets composés qu'on ne saurait pas toujours dans quel groupe d'aliments classer.

Arrivées à ce stade, beaucoup de personnes diabétiques sont satisfaites du système d'échanges, et ne voient pas l'intérêt de changer quoi que ce soit.

Mais d'autres sont peut-être mûres pour un plan d'alimentation encore plus flexible, axé sur le calcul des glucides, et dont nous allons parler dans le prochain chapitre.

Quelle qu'en soit la durée, le temps passé avec le système d'échanges n'aura jamais été du temps perdu. Il aura permis d'acquérir ou de consolider de bonnes habitudes alimentaires, et celles-ci seront précieuses pour toute la vie.

CHAPITRE 4

Le calcul des glucides, approche simplifiée

Vous connaissez certainement le proverbe qui dit qu'«il ne faut pas courir deux lièvres à la fois». Ou celui-ci : «Qui trop embrasse mal étreint.» Ou encore : «Il vaut mieux avoir affaire à Dieu qu'à ses saints.»

L'idée ici n'est pas de faire un condensé des pages roses du dictionnaire, mais bien de rappeler ce que la sagesse populaire a compris depuis des siècles : pour réussir, il est souvent préférable de se concentrer sur un objectif central et prioritaire, plutôt que de jongler avec trop de balles en même temps !

Et ce qui est vrai pour la chasse, pour les amours ou pour la prière, peut l'être aussi pour l'alimentation. Concentrer son attention et ses efforts sur un élément nutritif principal, plutôt que sur plusieurs nutriments ou de multiples groupes d'aliments, ne serait-ce pas une bonne solution ?

Pour les personnes diabétiques, ce sont bien sûr les glucides qui constituent cet élément nutritif central. Et un plan d'alimentation basé avant tout sur les glucides, ça risque d'être plein de bon sens !

Mais «le sage n'affirme rien qu'il ne prouve»! Voyons donc dans ce chapitre en quoi retourne exactement le calcul des glucides, et comment cette méthode peut être utile dans le traitement du diabète de type 1.

Le principe et ce qu'il implique

L'idée d'un plan d'alimentation axé sur le calcul des glucides est centrée sur le principe que l'**apport en glucides alimentaires** est le facteur qui **influence le plus la réponse glycémique** après un repas, et qu'une surveillance attentive des quantités de glucides consommés peut améliorer le contrôle du diabète.

Ce principe n'est pas nouveau. La petite histoire nous apprend que, dès les années 1920, peu après la découverte de l'insuline, le calcul des glucides était utilisé dans la planification des régimes diabétiques, en Amérique aussi bien qu'en Europe. Mais la publication des premiers systèmes d'échanges alimentaires, dans les années 1950, a fait que pendant plusieurs décennies on a eu recours surtout à des plans d'alimentation basés sur ces systèmes, traités au chapitre précédent.

Cependant, depuis une dizaine d'années, la méthode du calcul des glucides effectue un retour en force. Ce n'est certainement pas étranger à l'avènement de deux éléments marquants au cours des années 1990. D'une part, avec la mise au point d'analogues de l'insuline humaine, on dispose maintenant de préparations d'insuline ultra-rapide (Humalog[MD], NovoRapid[MD]), dont la durée d'action correspond assez bien à la durée de digestion et d'absorption des glucides. D'autre part, l'arrivée sur le marché de lecteurs de glycémie de plus en plus rapides, performants et simples d'utilisation a rendu beaucoup plus facile l'autosurveillance «intensive» de la glycémie. En effet, il n'est plus rare de voir des personnes diabétiques de type 1 faire quatre, cinq, six, voire dix mesures quotidiennes de leur glycémie. Et avec le calcul des glucides, il faut souvent passer par là!

Il y a en effet dans le principe ci-dessus du calcul des glucides trois éléments essentiels, sur lesquels on doit être prêt à se concentrer.

- ✓ **Les glucides alimentaires**: il faut bien connaître les différents constituants des glucides, leurs effets respectifs sur la glycémie, les aliments qui les renferment, etc.

- ✓ **La réponse glycémique**: parce que chaque personne diabétique ne réagit pas exactement de la même façon, il faut être disposé à tester et à retester sa glycémie en fonction de l'apport en glucides, et ce, avant les repas, après les repas et entre les repas.

- ✓ **La surveillance attentive des quantités de glucides consommés**: la précision est importante, on ne peut plus se contenter d'estimations un peu vagues, il faut s'attendre à mesurer les portions, à peser les quantités et, à moins d'être un génie des mathématiques et de la règle de trois, à vivre avec une calculatrice ou un ordinateur à portée de la main…

Si l'on consent à faire ces efforts, on peut bénéficier en retour de beaucoup plus de souplesse et de flexibilité dans son plan d'alimentation.

Et les lipides, là-dedans, on les oublie ? Les protéines, on s'en balance ? Est-ce qu'on n'avait pas dit pourtant que ces nutriments-là étaient également essentiels aux personnes diabétiques ? C'est pratique, le calcul des glucides… Cela veut dire que tout le reste peut prendre le bord ?

Bien sûr que non ! Ce que cela veut dire, c'est que ce sont uniquement les glucides qu'on va **calculer**. Les autres macronutriments, tout comme les vitamines et les minéraux d'ailleurs, ne devront pas pour autant être oubliés dans les choix alimentaires. Il faudra toujours veiller à ce que les aliments consommés aux repas et aux collations fournissent des quantités adéquates de tous les éléments nutritifs requis. Simplement, on ne mesurera plus systématiquement les portions ou les quantités des aliments qui ne contiennent que des lipides ou des protéines, et on aura plus de latitude dans le choix des aliments qui sont des sources de glucides.

Le calcul des glucides, à qui ça s'adresse ?

Cette question, nous y avons répondu en partie au chapitre 2 lorsque nous avons parlé des divers plans d'alimentation. Nous avons vu que certaines personnes nouvellement diagnostiquées diabétiques de type 1 souhaitaient dès le début opter pour le calcul des glucides plutôt que pour un plan fondé sur un système d'échanges alimentaires.

Au chapitre 3, nous avons aussi réalisé qu'après avoir utilisé un système d'échanges pendant un certain temps d'autres personnes diabétiques pouvaient elles aussi souhaiter plus de flexibilité, et s'orienter alors vers le calcul des glucides.

En fait, un plan d'alimentation fondé sur le calcul des glucides peut être tout à fait approprié dans de multiples situations, et pas seulement dans le diabète de type 1. Des personnes atteintes de diabète de type 2 ou de diabète de grossesse peuvent aussi en bénéficier.

Ce dont nous n'avons pas encore parlé toutefois, ce sont des niveaux d'application de la méthode. En effet, on distingue généralement deux niveaux de calcul des glucides: le niveau de base, aussi appelé approche simplifiée, et le **niveau avancé**.

Dans le présent chapitre, nous allons traiter de l'approche simplifiée du calcul des glucides.

L'approche simplifiée

Le niveau de base du calcul des glucides peut être enseigné à toute personne diabétique. Pour le diabète de type 1, cette approche convient aux personnes nouvellement diagnostiquées, ou encore à celles qui ont utilisé antérieurement un autre plan d'alimentation.

Qu'est-ce qui caractérise l'approche simplifiée? Deux choses, que voici.

✓ Les **quantités de glucides** à consommer aux repas et aux collations sont **prédéterminées**.

✓ Les **doses d'insuline** servant à couvrir les glucides consommés sont les **mêmes d'une journée à l'autre**.

En fait, un plan d'alimentation axé sur le niveau de base du calcul des glucides partage certaines similitudes avec un plan d'alimentation fondé sur les échanges alimentaires. Dans les deux cas, les doses d'insuline à action rapide ou ultra-rapide sont constantes et prédéfinies, et il est important que la consommation alimentaire soit elle aussi régulière, et planifiée de façon à coïncider avec l'action de ces doses d'insuline.

Mais les deux approches ont aussi des différences. Nous avons parlé au chapitre 3 des groupes d'aliments qui contenaient des glucides. Pour les personnes qui suivent un plan d'alimentation basé sur les échanges, nous avons mentionné la possibilité de substituer à l'occasion des échanges d'un groupe pour des échanges d'un autre groupe. Par exemple, on pourrait de temps en temps substituer un échange de Fruits pour un échange de Féculents, ou encore deux échanges de Féculents pour deux échanges d'Aliments avec sucre ajouté.

Eh bien, avec le calcul des glucides, ce genre de permutations n'est plus seulement toléré à l'occasion, il constitue presque le fondement de la méthode! En effet, les groupes d'aliments à consommer ne sont plus prédéterminés et tout ce qui est défini à l'avance est la quantité de glucides à consommer.

En pratique, cela veut dire que le plan alimentaire individualisé d'une personne diabétique donnera pour chaque repas et collation une «allocation» de glucides. La personne devra faire ses choix alimentaires de façon à respecter cette allocation, ni plus ni moins!

Une allocation de glucides pour une personne diabétique, c'est un peu comme une allocation de dépenses pour un représentant commercial qui travaille sur la route. Sa compagnie peut lui permettre des montants d'argent prédéterminés pour couvrir ses dépenses alimentaires. Par exemple, on lui alloue sept dollars pour le déjeuner, dix dollars pour le dîner et quinze dollars pour le souper. Le représentant peut manger ce qu'il veut, en autant qu'il respecte son budget. D'une journée à l'autre, il n'a pas à aller aux mêmes restaurants ou à commander des plats similaires; il choisit lui-même, mais toujours en fonction de son allocation quotidienne!

Et comment l'allocation de glucides est-elle exprimée dans un plan d'alimentation? Le plus souvent, en **grammes**. Mais on l'exprime aussi en nombre de **choix de glucides**. Par exemple, dans un plan donné, les allocations pourraient être les suivantes.

- ❖ **Déjeuner**: 45 grammes (ou 3 choix de glucides)
- ❖ **Collation d'avant-midi**: 15 grammes (ou 1 choix de glucides)
- ❖ **Dîner**: 60 grammes (ou 4 choix de glucides)

❖ **Collation d'après-midi**: 15 grammes (ou 1 choix de glucides)

❖ **Souper**: 75 grammes (ou 5 choix de glucides)

❖ **Collation de soirée**: 30 grammes (ou 2 choix de glucides)

Eh oui, vous l'avez compris, un choix équivaut à 15 grammes de glucides! Et ce n'est pas sans raison: vous vous rappelez sans doute que, dans les guides d'alimentation à l'intention des personnes diabétiques, la plupart de portions des aliments qui contiennent des glucides sont déterminées de façon à en fournir environ 15 grammes. Donc, qu'on les appelle «échanges», «portions» ou «choix de glucides», ces quantités d'aliments auront des effets très semblables sur la glycémie.

Qu'est-ce qui fait que dans certains plans on privilégie les grammes, et, dans d'autres, les choix de glucides? Différents facteurs peuvent être en cause. Parfois, c'est tout simplement parce que, dans un établissement de santé donné, la diététiste a l'habitude de travailler avec un système plutôt qu'avec l'autre. Parfois aussi, ce sont les caractéristiques du client diabétique qui pourront faire pencher la balance. En effet, le système des «choix de glucides» est plus simple, l'enseignement peut être fait à partir d'un guide d'alimentation et de groupes d'aliments, et la personne diabétique n'a pas trop de calculs à faire. Pour ceux qui n'ont pas la bosse des mathématiques, ça peut être une formule tout indiquée. Cependant, on risque aussi de perdre un peu de précision. Le fait est que, dans la vraie vie, toutes les portions d'aliments glucidiques n'ont pas systématiquement 15 grammes de glucides, certaines s'en éloignent même passablement.

Le bagel est l'exemple parfait d'une teneur en glucides très «élastique»! Dans les guides d'alimentation, on considère habituellement qu'un demi-bagel correspond à un échange, ou à un choix de glucides. Mais en réalité on peut avoir affaire à un petit bagel, un bagel moyen, un gros bagel ou un bagel jumbo! Chacune des moitiés n'aura pas 15 grammes de glucides tout juste, on peut s'en douter! Mieux vaut donc connaître son poids exact et sa teneur précise en glucides, plutôt que d'estimer que ça correspond chaque fois à un choix de glucides. Sinon, la glycémie peut elle aussi faire un bond de taille jumbo!

Pour des raisons de précision, nous ne retiendrons pour la suite de ce chapitre que le système des **grammes de glucides**.

L'exemple de Mélanie

Mélanie est cette jeune étudiante du cégep nouvellement diagnostiquée diabétique de type 1, dont nous avons fait la connaissance au chapitre 2. En accord avec elle, son médecin a convenu d'une insulinothérapie à quatre injections par jour, comprenant des doses d'insuline à action ultra-rapide à chaque repas. L'évaluation de l'alimentation habituelle de Mélanie, faite par la diététiste, indique une consommation faible de viandes et de légumes frais. Mélanie est prête à essayer de faire globalement de meilleurs choix alimentaires. Pour lui assurer une certaine flexibilité, il est cependant décidé que son plan d'alimentation sera basé sur le calcul des glucides. Comme il s'agit d'un nouveau diabète, on commence avec le niveau de base.

Le plan de départ

Avant son diabète, Mélanie ne déjeunait à peu près pas, elle prenait d'assez grosses collations en matinée et en après-midi, grignotait en soirée, prenait un petit dîner et un gros souper. Son plan d'alimentation, qui doit être compatible avec son insulinothérapie, pourra-t-il respecter ses habitudes antérieures? Pas tout à fait. Rappelons-nous de quelles insulines seront constituées ses injections.

➤ Avant le déjeuner : mélange d'insuline à action intermédiaire (ex. : Humulin N [MD]) et d'insuline à action ultra-rapide (ex. : Humalog [MD])

➤ Avant le dîner : Humalog [MD]

➤ Avant le souper : Humalog [MD]

➤ Au coucher : Humulin N [MD]

On le sait, l'administration d'Humalog [MD] doit coïncider avec un apport de glucides alimentaires. Mélanie devra donc prendre de « vrais » déjeuners, dîners et soupers tous les jours. Cependant, la teneur en glucides et la dose d'insuline correspondante pourront pour chacun de ces repas respecter en partie ses habitudes. Par exemple, elle pourra continuer à prendre un souper plus consistant que son dîner.

Gardera-t-on les collations d'avant-midi et d'après-midi? Logiquement, si elle prend un bon déjeuner et mange un peu plus au dîner qu'auparavant, ces collations seront moins nécessaires pour combler les besoins énergétiques de Mélanie. Par ailleurs, la durée d'action de l'Humalog[MD] n'est pas très longue, et des collations ne sont pas systématiquement requises pour éviter les risques d'hypoglycémie deux ou trois heures après le repas. Cependant, Mélanie a une dose d'insuline intermédiaire le matin qui peut encore être assez active en milieu d'après-midi, et elle a l'habitude de manger à cette heure-là. Le plan de départ allouera donc une petite quantité de glucides pour la collation de l'après-midi.

Enfin, doit-on prévoir une collation de soirée? Cela serait judicieux. On se rappellera en effet qu'avec une injection d'Humulin N[MD] au coucher il y a toujours un certain risque d'hypoglycémie nocturne. On indiquera à Mélanie qu'il est important que sa collation comprenne des protéines et des glucides. Ceux-ci seront toutefois en quantités réduites puisque son insulinothérapie de départ n'inclut pas d'insuline à action ultra-rapide dans son injection de fin de soirée.

Maintenant, comment détermine-t-on les quantités de glucides à allouer aux repas et à la collation de soirée? C'est la diététiste qui fera les calculs, en évaluant d'abord la quantité totale de glucides dont Mélanie a besoin dans une journée.

Antérieurement à son diabète, Mélanie (qui n'est pas très portée sur l'activité physique) semblait maintenir un poids satisfaisant avec des apports quotidiens d'environ 1800 calories. On se souviendra que, dans un régime sain, les glucides devraient représenter à peu près la moitié de l'apport énergétique, c'est-à-dire environ 900 calories dans le cas présent. Comme les glucides contiennent 4 calories par gramme, on fait le calcul suivant: 900 calories ÷ 4 calories / gramme = 225 grammes.

Pour respecter les préférences de Mélanie, la diététiste répartit ensuite les 225 grammes de glucides de la journée de la façon suivante :

- ❖ Déjeuner (entre 7 h et 7 h 30) : **45 g**
- ❖ Dîner (entre midi et midi trente) : **60 g**
- ❖ Collation d'après-midi (entre 15 h et 15 h 30) : **15 g**
- ❖ Souper (entre 17 h 30 et 18 h) : **90 g**
- ❖ Collation de soirée : **15 g**

Cette répartition doit aussi bien sûr tenir compte des doses d'insuline prescrites. C'est la raison pour laquelle le médecin et la diététiste doivent travailler de concert à cette étape de l'élaboration du plan de traitement.

Évidemment, le travail de la diététiste ne s'arrête pas là ! Il y a bien des éléments dont elle doit aussi faire part à Mélanie, pour que celle-ci comprenne bien son plan d'alimentation.

Le coffre à outils du calcul des glucides

Avant de pouvoir mettre en application le calcul des glucides dans son alimentation quotidienne, la personne diabétique doit acquérir certaines connaissances, et se doter de certains outils. Tout cela lui permettra de déterminer adéquatement les teneurs en glucides des aliments qu'elle consomme, de façon à respecter le mieux possible les quantités de glucides allouées dans son plan d'alimentation.

1. La connaissance des sources alimentaires de glucides

La première étape est de savoir reconnaître les aliments et les produits alimentaires qui contiennent des glucides.

Si la personne diabétique a déjà suivi un plan d'alimentation axé sur les échanges ou sur la méthode des carrés de sucre, elle est déjà familière avec les groupes d'aliments à contenu glucidique. Nous les avons identifiés au chapitre 3.

Sinon, et c'est le cas pour Mélanie, il faut se donner certains repères. En fait, le plus simple peut être de repérer d'abord les aliments qui ne contiennent pas de glucides, car ils sont beaucoup moins nombreux !

Ces aliments qui ne **contiennent pas** de glucides, ou qui en contiennent en quantités négligeables, sont les suivants.

- Les viandes, la volaille, les abats et le poisson
- Les œufs
- Les mollusques, les coquillages et les crustacés
- La plupart des fromages
- Les charcuteries
- Le tofu
- Les corps gras (beurre, margarine, huile, shortening, mayonnaise…)
- La plupart des épices et condiments
- Le thé, le café, les boissons diète
- Les bouillons clairs et les consommés
- La gélatine neutre, ou la gélatine aromatisée sans sucre ajouté

La liste des aliments qui **contiennent** des glucides est évidemment beaucoup plus longue : ne pensons qu'à la multitude de céréales, de produits de boulangerie, de pâtisseries et de confiseries, à tous les fruits et à certains légumes, au lait, nature ou aromatisé et à tous les desserts laitiers, aux légumineuses, féculents et tubercules, aux pâtes alimentaires, aux potages et soupes-crèmes, aux mets en casserole, etc. ! Pour se familiariser avec ces sources de glucides, la personne diabétique peut avoir avantage à consulter une référence telle que le *Guide d'alimentation pour la personne diabétique*, qui traite bien sûr des échanges, mais qui donne aussi beaucoup d'information générale sur les groupes d'aliments.

Bien entendu, en cas de doute sur le fait qu'un aliment contienne ou non des glucides, la personne diabétique pourra également se référer aux divers outils de composition nutritive, dont nous parlerons un peu plus loin.

Une fois plus à l'aise avec l'identification des sources de glucides, la personne diabétique devra ensuite s'atteler à la mesure des portions.

2. La détermination de la taille des portions d'aliments glucidiques

Nous l'avons mentionné plus haut, la méthode du calcul des glucides exige une certaine précision. Et pour être précis dans le calcul du nombre de grammes de glucides contenus dans un aliment donné, la première condition est de bien déterminer la portion consommée de l'aliment en question ! Divers outils et instruments peuvent nous aider.

Les étiquettes de produits alimentaires

Comme nous mangeons de plus en plus de produits alimentaires transformés et d'aliments préemballés, nous pouvons souvent recourir aux informations indiquées sur l'emballage pour déterminer la portion d'aliment consommée. En effet, la loi canadienne impose aux fabricants d'indiquer sur l'étiquette la quantité nette du produit emballé, et ce, en mesures métriques (grammes, kilogrammes, millilitres, litres).

En général, la quantité nette est indiquée :

- **en volume** pour les aliments liquides, par exemple en millilitres ou en litres (pour les volumes supérieurs à 1000 ml) ;
- **en poids** pour les aliments solides, par exemple en grammes ou en kilogrammes (pour les quantités supérieures à 1000 g).

Bien qu'il ne soit pas obligatoire d'inscrire les unités de mesure canadiennes (anciennement appelées «impériales») sur les étiquettes, il est permis de les utiliser en plus des mesures métriques. Les unités canadiennes sont les «onces liquides» et les «onces» de poids, ces dernières étant habituellement réservées aux aliments solides. Notons cependant que, pour le calcul des glucides, on utilise toujours les **mesures métriques**.

Bien sûr, l'étiquette fournit la quantité nette de **tout le produit** emballé. S'il s'agit d'un produit en portion individuelle que l'on consomme en totalité, pas de problème, on note la quantité inscrite sur l'étiquette. Par contre, s'il s'agit d'un format dit «familial», on doit diviser la quantité totale par le nombre de portions que contient l'emballage, ou encore on peut mesurer directement la portion consommée.

Les ustensiles à mesurer

Comme à peu près tous les livres ou tous les répertoires de recettes au Québec donnent les ingrédients en volume (ex. : 125 ml de sucre, ⅔ de tasse de farine), chaque Québécois et Québécoise a au moins dans sa cuisine quelques ustensiles à mesurer. Habituellement, cela veut dire *grosso modo* un ensemble de cuillères (de 1, 2, 5 et 15 ml) et une tasse de 250 ou 500 ml. C'est un début !

Cependant, la mesure du volume est précise surtout pour les aliments liquides (lait, breuvages chauds, jus ou boissons aux fruits, etc.). Pour les aliments solides qui sont sous forme de poudre ou de granules secs (sucre, cacao, farine, semoules…), cela passe encore. Mais, dès qu'on parle d'aliments semi-liquides, ou encore un peu collants (ex. : corps gras, mets composés, pointe de tarte…), on atteint vite la limite des ustensiles à mesurer !

La balance de cuisine

Pour une personne diabétique qui utilise la méthode du calcul des glucides, une balance de cuisine est un outil quasi indispensable. On retrouve sur le marché divers modèles de balances. Les plus précises sont les balances électroniques, qui peuvent peser les aliments au gramme près. Évidemment, elles sont un peu plus coûteuses que les balances mécaniques, mais aussi beaucoup plus pratiques et précises.

Bon, une autre dépense ! Est-ce que tout le monde a vraiment les moyens de s'acheter une balance qui coûte autant qu'un grille-pain à quatre tranches ? Déjà que les bandelettes des lecteurs à glycémie sont hors de prix, et jamais complètement remboursées par l'assurance, est-ce qu'il faut maintenant s'endetter aussi pour peser ses aliments ?

C'est vrai, c'est un choix. Une balance électronique n'est pas donnée, mais quand on pense qu'elle servira tous les jours pendant des années le coût de revient n'est somme toute pas si élevé…

La balance est donc très utile, mais, même si une personne diabétique s'en sert quotidiennement, il y a des occasions où elle ne l'aura pas nécessairement sous la main. Quand elle mange au restaurant, ou encore qu'elle est invitée à l'extérieur, elle doit parfois travailler « sans filet » !

Le bon vieux pif

Dans ces circonstances, la personne diabétique doit souvent se contenter d'évaluer à l'œil (ou au pif!) la taille des portions des aliments glucidiques qu'elle consomme. Ce n'est certainement pas facile au début, mais c'est une habileté qui se développe avec l'expérience.

Ainsi, si la personne diabétique consomme régulièrement chez elle du riz ou des pâtes alimentaires, et qu'elle en est arrivée à visualiser assez facilement la taille de la portion qui représente par exemple 30 grammes de glucides, elle n'a plus systématiquement besoin de peser ces aliments, surtout lorsqu'elle mange à l'extérieur.

De la même façon, dès qu'elle connaît bien la taille des portions de fruits qui contiennent environ 15 grammes de glucides (ex. : deux pruneaux, une quinzaine de raisins, une poire moyenne, une petite pomme), elle n'a pas besoin de les peser chaque fois.

3. Le calcul des grammes de glucides

Une fois qu'on a déterminé la taille des portions d'aliments glucidiques, il faut procéder au calcul des grammes de glucides contenus dans chacun des aliments. Ici encore, divers outils peuvent nous servir.

Les tableaux de valeur nutritive des produits emballés

Les étiquettes des produits alimentaires sont décidément très utiles! Au plus tard en décembre 2005, pour la presque totalité des produits alimentaires vendus au Canada, les fabricants devront avoir apposé sur l'étiquette de leurs produits un tableau uniformisé de valeur nutritive. Ce tableau indique la teneur en calories et en 13 éléments nutritifs, dont les glucides, les fibres et les sucres.

En fait, l'étiquetage nutritionnel des produits alimentaires est tout un monde, et fera à lui seul l'objet d'un prochain chapitre.

Pour les besoins de l'approche simplifiée du calcul des glucides, ce que nous devons savoir de l'étiquetage nutritionnel se résume pour l'instant aux éléments suivants.

✓ Dans le tableau de la valeur nutritive, la quantité de glucides représente les glucides totaux, et elle **inclut** les sucres. Il ne faut donc pas additionner la valeur des sucres à celle des glucides, mais bien se limiter à cette dernière. Par exemple, si un muffin aux bleuets qui pèse 76 g contient 42 g de glucides et 16 g de sucres, la teneur en glucides du muffin est bien de 42 g, et non de 58.

✓ Si la quantité de fibres déclarée dans le tableau est d'au moins 5 grammes, il faut **déduire** cette valeur de la valeur totale des glucides. Par exemple, si pour des céréales à déjeuner la valeur nutritive pour une portion de 40 g inclut 29 g de glucides et 5 g de fibres, la teneur en glucides à utiliser est de 29 − 5 = 24 g de glucides.

✓ Si la taille de la portion consommée n'est pas la même que celle qui est déclarée sur l'étiquette, il faut faire une règle de trois. Par exemple, si selon le tableau de valeur nutritive une portion de 175 ml de boisson aux pêches contient 22 g de glucides, mais qu'on n'en consomme que 125 ml, il faut faire le calcul suivant: (125 ml × 22 g) ÷ 175 ml = 16 g (pour le calcul des glucides, on arrondit au nombre entier le plus près).

Les étiquettes de produits constituent donc une mine d'informations pour le calcul des glucides, mais plusieurs des aliments que nous mangeons ne sont pas préemballés et étiquetés. C'est le cas par exemple de plusieurs fruits et légumes frais, des aliments achetés aux comptoirs de restauration rapide, ou encore des mets composés que nous cuisinons selon les bonnes vieilles recettes familiales!

Pour tous ces aliments, d'autres sources d'informations sont requises pour le calcul des glucides.

Les tables de composition en éléments nutritifs

On retrouve maintenant plusieurs documents qui rapportent dans une même table la composition en calories, en macronutriments et en micronutriments de plusieurs produits alimentaires. Certaines de ces tables de composition sont disponibles en format papier, d'autres sous forme électronique. On retrouvera dans la section Ressources à la fin de ce livre les références de quelques tables de composition.

Qui publie ces tables? Ce sont parfois les gouvernements, parfois des organismes publics ou privés dont le mandat touche l'éducation nutritionnelle, parfois des chaînes de restauration qui désirent informer leurs clients quant à la composition des produits qu'ils offrent, et parfois encore des éditeurs commerciaux.

Que retrouve-t-on dans ces tables en ce qui a trait aux glucides? La réponse est variable, selon les différents documents. On donne toujours au moins la teneur en glucides totaux des aliments, et la teneur en fibres est souvent indiquée aussi. Quant à la teneur en sucres, elle est plus rarement présente.

Pour un aliment donné, les quantités de glucides sont habituellement indiquées pour une portion uniforme, qui est souvent de 250 ml pour les aliments liquides et de 100 g pour les aliments solides. Là encore, il faut procéder à une règle de trois pour calculer la quantité de glucides qui correspond à la portion réellement consommée par la personne diabétique.

Évidemment, quand il s'agit de tables de composition des aliments servis par une chaîne de restauration, la quantité de glucides indiquée correspond à la portion servie au restaurant. Par exemple, on indiquera que le *cheeseburger* pèse 115 g, et qu'il contient 32 g de glucides. Ou encore que le jus d'orange moyen est une portion de 440 ml (ce qui est énorme, eh oui!), qui contient 50 g de glucides.

Le repérage dans les tables de composition est généralement assez facile quand il s'agit d'aliments uniques, mais le processus se complique un peu pour les mets composés. Certaines tables contiennent des informations pour ce genre de mets, mais il faut bien sûr comprendre que, par exemple, le spaghetti aux boulettes de viande répertorié dans le *Fichier canadien des éléments nutritifs* est peut-être très différent de celui que vous concoctez à la maison! Pour ce genre de recettes, il vaut mieux partir de sa propre liste d'ingrédients, trouver dans la table la teneur en glucides de chacun des ingrédients selon son poids dans la recette, faire le total, le diviser par le nombre de portions et surtout ne pas oublier d'écrire le résultat obtenu dans son livre de recettes, ou encore dans un carnet à conserver précieusement!

Pour un enfant diabétique d'une dizaine d'années ou plus, le calcul des glucides dans les recettes maison peut représenter un exercice intéressant. Et si c'est un petit futé, peut-être pourra-t-il convaincre ses parents de monnayer ses calculs, à 50 cents ou à 1 $ la recette, qui sait?

Les facteurs glucidiques

Un dernier outil qui peut s'avérer utile pour le calcul des grammes de glucides est une table de «facteurs glucidiques», ou *carb factors* (*carb* étant l'abréviation de *carbohydrates*, le terme anglais désignant les glucides).

Une telle table a été publiée dans le livre *Pumping Insulin* des auteurs américains John Walsh et Ruth Roberts (voir la section Ressources). Vous trouverez également une table de facteurs glucidiques jointe en encart au présent ouvrage ainsi qu'en annexe, à la page 241.

Qu'est-ce qu'on y retrouve? Une liste assez exhaustive d'aliments qui contiennent des glucides, avec pour chacun un facteur donné. Ce facteur glucidique, qui peut prendre une valeur comprise entre 0,01 et 0,99, représente la proportion des glucides dans le poids d'un aliment (0,01 = 1 %; 0,99 = 99 %). Lorsqu'on multiplie ce facteur par la quantité (en grammes) de l'aliment consommé, on obtient directement le nombre de grammes de glucides que cette portion représente. Il s'agit d'une valeur moyenne et parfois moins précise que celle des tables de composition, mais néanmoins très utile dans certains cas.

Par exemple, le facteur glucidique pour la salade de pommes de terre est de 0,13. Donc, si l'on en mange 130 g, cela représente : (130 × 0,13) = 17 g de glucides.

Pour la pizza au pepperoni, le facteur est de 0,26. Si l'on achète une telle pizza à un comptoir de restauration rapide, et qu'une fois rendu à la maison on se sert une pointe de 180 g, on peut estimer que cette portion contient : (180 × 0,26) = 47 g de glucides. Intéressant, non ? Et ça permet en même temps de rentabiliser sa balance de cuisine, puisqu'il faut nécessairement peser les quantités ! D'une pierre deux coups !

De retour au plan d'alimentation de Mélanie

Avec tout ça, il ne faudrait pas oublier notre amie Mélanie. Sa diététiste lui en a appris beaucoup sur les glucides et leurs calculs ; il faut maintenant mettre le tout en application dans son alimentation quotidienne.

Mais, avant de parler des choix alimentaires, il faut attirer l'attention de Mélanie sur un point très important : non seulement devra-t-elle calculer ses glucides, mais elle devra aussi être d'accord pour tenir un **relevé des quantités consommées**. Au début, elle devra y consigner à la fois les portions d'aliments et le nombre de grammes de glucides qu'ils contiennent. Ce relevé sera indispensable d'une part pour vérifier qu'elle applique correctement la méthode d'une journée à l'autre, et d'autre part pour s'assurer que les quantités de glucides incluses dans les repas et les collations sont adéquates pour atteindre ses glycémies cibles. Car, évidemment, Mélanie devra aussi mesurer et noter sa glycémie plusieurs fois par jour !

Les exemples de menus

Une fois tout cela bien expliqué à Mélanie, il faut passer aux exemples pratiques.

En tenant compte des habitudes et des préférences de Mélanie, mais aussi des éléments à améliorer dans son alimentation, la diététiste lui propose deux exemples de menus : un pour la semaine, l'autre pour la fin de semaine. Ces menus indiquent les teneurs en glucides des aliments proposés. La diététiste explique à Mélanie qu'il faut essayer à chaque repas et collation **de rester à 5 grammes près de l'objectif**, c'est-à-dire de la quantité de glucides allouée.

Comme elles se reverront toutes deux à la clinique externe peu après la sortie de Mélanie de l'hôpital, la diététiste lui demande d'apporter lors de cette visite son relevé alimentaire (incluant ses calculs de glucides et ses valeurs de glycémies), qu'elles pourront réviser ensemble.

Voici d'abord les exemples fournis par la diététiste.

Exemple de menu pour Mélanie, un jour de semaine

Déjeuner : Café avec lait et 5 ml de sucre (**5 g**)

Barre muffin aux bananes et aux noix (**20 g**)

Yogourt à la vanille (**20 g**)

Dîner : Sandwich au poulet (**30 g**)

Jus de légumes, 175 ml (**10 g**)

Salade de fruits en portion individuelle préemballée (**20 g**)

Collation d'après-midi : 1 petite pomme (**15 g**)

Souper : Salade de laitue, tomates et concombres (**5 g**)

Casserole de thon : 250 ml de macaroni cuit (**30 g**) ; 125 ml de sauce béchamel (**10 g**) ; thon en conserve ; fromage

125 ml de maïs en grains (**15 g**)

250 ml de lait (**12 g**)

2 biscuits à la cannelle (**20 g**)

Collation de soirée : 2 galettes de riz nature (**15 g**)

Fromage cheddar

Les quantités de glucides dans cet exemple de menu totalisent 45 g au déjeuner, 60 g au dîner, 15 g à la collation d'après-midi, 92 g au souper et 15 g à la collation de soirée.

Exemple de menu pour Mélanie, un jour de fin de semaine

Déjeuner : Café avec lait et 5 ml de sucre (**5 g**)

2 rôties de pain de blé entier (**30 g**)

1 tranche de fromage fondu (**3 g**)

15 ml de confiture légère (**6 g**)

Dîner : 250 ml de soupe aux légumes (**10 g**), 4 biscuits soda (**8 g**)

Omelette au jambon

175 ml de jus de fruits (**20 g**)

Petit cornet de crème glacée (**20 g**)

Collation d'après-midi : 125 ml de raisins frais (**15 g**)

Souper : Brochette de bœuf et légumes (poivrons, champignons et oignons) (**5 g**)

200 ml de riz (**45 g**)

100 ml de sauce en conserve (**5 g**)

250 ml de lait (**12 g**)

Petit carré au fudge (brownie) (**24 g**)

Collation de soirée : 125 ml de noix mélangées (**16 g**)

Boisson gazeuse diète

Dans ce deuxième exemple, les glucides totalisent 44 g au déjeuner, 58 g au dîner, 15 g à la collation d'après-midi, 91 g au souper et 16 g à la collation de soirée.

Mélanie est retournée chez elle et a commencé à appliquer le calcul des glucides. Au début, elle trouvait cela assez compliqué, surtout qu'il lui fallait aussi intégrer dans sa routine quotidienne les injections d'insuline et les mesures de glycémie. Mais bon, elle s'y fait petit à petit. Elle est même fière de montrer à la diététiste son relevé, bien qu'elle ne comprenne pas pourquoi elle a fait une hypoglycémie le jour où elle est allée manger du *fast food* avec ses amis. Elle pensait avoir réussi à respecter son allocation de glucides, car, avant de passer sa commande, elle avait consulté le tableau des valeurs nutritives affiché dans le restaurant. Pour les autres repas de cette journée, elle s'est beaucoup fiée aux étiquettes des produits alimentaires, ou encore au petit guide de poche des calories et glucides des aliments usuels qu'elle a pris l'habitude d'avoir sur elle. Elle a pris son déjeuner à la maison, et a apporté un lunch pour son dîner au cégep.

Voici ce que cette journée donnait.

Extrait du relevé de Mélanie, le vendredi 29 octobre

Glycémie au lever : 7,8 mmol / L

Injection Humulin N^{MD} (8 unités) et Humalog^{MD} (4 unités) : 7 h 10

Déjeuner (7 h 15) : 1 sachet de gruau instantané pommes et cannelle (**32 g**) 125 ml de lait (**6 g**)

Café + lait + 5 ml sucre (**5 g**)

Glycémie à midi : 8,4 mmol / L

Injection Humalog^{MD} (4 unités) : 12 h 05

Dîner (12 h 10) : Salades de pâtes (250 ml de fusilli), dinde fumée et fromage (**30 g**)

Bâtonnets de carottes et de céleri (**5 g**)

Jus de légumes, canette de 155 ml (**7 g**)

Yogourt aux fraises (**18 g**)

Collation d'après-midi (15 h 30) : 2 clémentines (**15 g**)

Glycémie à 17 h 45 : 6,3 mmol / L

Injection Humalog^{MD} (6 unités) : 17 h 50

Souper (18 h) : 6 croquettes de poulet (**18 g**)

Sauce moutarde (**6 g**)

Frites (petit format) (**30 g**)

Chausson aux pommes (**37 g**)

Boisson gazeuse diète, format moyen

Glycémie à 19 h : 3,2 mmol / L   *Traitement : 15 g de glucose*

Glycémie à 22 h : 14,5 mmol / L

Injection Humulin N^{MD} (8 unités) (+ 2 unités d'Humalog^{MD} pour corriger hyperglycémie)

Collation de soirée (22 h 15) : 125 ml de lait (**6 g**) et 2 petits biscuits secs (**8 g**)

Mélanie est certaine de ses calculs, et elle ne comprend par pourquoi elle a fait une hypoglycémie peu de temps après son souper, ce soir-là. Est-ce parce que le restaurant n'affichait pas les bonnes valeurs de glucides de ses menus? Si c'est ça, elle trouve que c'est scandaleux! Elle a dû traiter son hypoglycémie, et ensuite sa glycémie était haute en fin de soirée. Il a alors fallu qu'elle ajoute de l'Humalog^{MD} à son injection du coucher selon l'échelle de correction des hyperglycémies que son médecin lui a fournie. C'est beaucoup de trouble, tout cela!

La diététiste rassure Mélanie: elle a très bien compris la méthode, et n'a pas fait d'erreur dans ses calculs de glucides. En outre, elle a constamment respecté ses objectifs, se tenant à l'intérieur de la marge d'écart de 5 grammes. Par exemple, pour cette journée du 29 octobre, sa consommation de glucides a été de 43 g au déjeuner (son plan en alloue 45), 60 g au dîner (tel qu'indiqué dans le plan), 15 g à la collation d'après-midi (identique au plan), 91 g au souper (comparativement à 90 dans le plan) et 14 g à la collation de soirée (comparativement à 15 dans le plan). Difficile de faire mieux!

Alors comment expliquer l'hypoglycémie en début de soirée? La diététiste fait observer à Mélanie que les aliments qui constituaient son souper étaient des fritures, très riches en matières grasses. Celles-ci, lorsqu'elles sont consommées en grandes quantités, ont pour effet de faire séjourner les aliments plus longtemps dans l'estomac, donc de ralentir la digestion des glucides et l'absorption du glucose dans le sang. Résultat: pour une même quantité de glucides, le pic de glycémie après le repas survient plus tard.

Mélanie n'avait pas prévu le coup, et elle a fait son injection d'Humalog^{MD} comme à l'habitude, c'est-à-dire quelques minutes avant de commencer à manger. Cette insuline est rapidement devenue très active dans son corps et, en raison de la présence importante de lipides dans le repas, son pic d'action a devancé le pic de glycémie. C'est ce qui explique d'abord l'hypoglycémie après le souper, mais aussi l'hyperglycémie survenue quelques heures plus tard. En effet, l'action de l'Humalog^{MD} tirait alors à sa fin, mais il restait encore du glucose alimentaire à absorber.

C'est l'occasion pour Mélanie d'apprendre deux choses : 1) il est préférable de ne pas consommer un tel repas trop souvent ; et 2) lorsqu'on le fait, il vaut mieux s'injecter l'Humalog^{MD} après le repas plutôt qu'avant le repas, ou encore de séparer la dose en deux : une moitié avant le repas, l'autre moitié environ une heure après.

> Bien sûr, chaque personne diabétique de type 1 est un cas particulier ! Tous ne réagissent pas de la même façon aux repas riches en lipides. L'effet de décalage du pic de glycémie doit être vérifié chez chaque personne diabétique avant de modifier ses habitudes d'administration de l'insuline.

Finalement, l'exactitude des valeurs de glucides affichées au restaurant n'était pas en cause ! Ce qui l'était, c'était le rôle des autres constituants du repas.

Cet exemple illustre bien que, même si la méthode retenue dans le plan d'alimentation de Mélanie est axée sur le calcul des glucides, elle ne doit pas oublier pour autant les autres nutriments, ou encore faire n'importe quel choix alimentaire. De façon générale, Mélanie l'a d'ailleurs bien compris et elle l'a déjà mis en application, puisque son relevé alimentaire démontre qu'elle incluait plus fréquemment qu'avant dans ses menus quotidiens des aliments contenant des fibres, des protéines, du fer et des vitamines.

En fin de compte, l'approche simplifiée du calcul des glucides convenait très bien à cette nouvelle diabétique de type 1. Elle lui a permis de se concentrer sur un objectif principal, tout en respectant une régularité dans la prise quotidienne de glucides, importante à ce stade de son diabète. En effet, au début, les besoins en insuline peuvent être moins élevés qu'un peu plus tard (c'est la fameuse « lune de miel », ou « rémission »), mais l'ajustement des doses d'insuline peut également nécessiter plus de travail.

Dans quelques semaines ou quelques mois, quand Mélanie aura bien maîtrisé son plan d'alimentation et que ses besoins en insuline seront mieux établis, elle pourra, si elle le souhaite, acquérir encore plus de flexibilité en accédant au niveau avancé du calcul des glucides.

CHAPITRE 5

Le calcul des glucides, niveau avancé

Peut-être qu'un jour (et un jour pas si lointain, qui sait?) la recherche et la technologie redonneront aux personnes diabétiques de type 1 ce qu'elles ont perdu : la liberté de vivre sans avoir à mesurer constamment leur glycémie, leurs doses d'insuline et leurs portions d'aliments.

En attendant, plusieurs d'entre elles se contenteraient bien d'une seule chose : pouvoir manger autant ou aussi peu qu'elles en ont envie, en fonction des journées ou des occasions, sans toujours craindre l'hypoglycémie ou l'hyperglycémie.

Car, dans la vraie vie, avoir jour après jour la discipline ou l'appétit pour ingérer exactement ce que notre plan d'alimentation prévoit, à chaque repas et à chaque collation, c'est rien de moins qu'un tour de force! Par conséquent, beaucoup de personnes diabétiques ont appris, souvent un peu intuitivement, à ajuster leur insuline de quelques unités à la hausse ou à la baisse lorsqu'elles mangent un peu plus ou un peu moins d'aliments glucidiques que l'indique leur plan. Mais des ajustements approximatifs d'insuline ne sont pas sans danger : on le sait, Madame la Glycémie est capricieuse, elle peut passer facilement d'un extrême à l'autre!

En fait, quand un plan d'alimentation basé sur des quantités prédéterminées d'aliments ou de glucides ne nous satisfait plus, et quand on est à l'aise avec l'idée d'ajuster les doses d'insuline, mieux vaut y aller avec méthode. Dans le cas présent, cette méthode s'appelle le niveau avancé du calcul des glucides.

D'où vient l'idée de cette méthode?

La littérature scientifique ne nous apprend pas à qui on doit attribuer la paternité (ou la maternité?) du niveau avancé du calcul des glucides. Mais on peut aisément présumer que les instigateurs de la méthode ont été inspirés par la physiologie humaine. En effet, ils se sont probablement dit qu'au départ le pancréas a été conçu pour sécréter des quantités d'insuline qui s'ajustent aux quantités d'aliments consommés par l'être humain, et non que l'être humain a été conçu pour manger des quantités d'aliments s'ajustant à la sécrétion de son pancréas. Ils ont sûrement pensé aussi que l'être humain n'est pas préprogrammé pour manger des quantités identiques d'une journée à l'autre, et que la faim et la satiété n'ont pas été inventées pour rien!

Transposé chez une personne diabétique de type 1, ce principe signifie que l'apport en glucides des repas et des collations n'a pas besoin d'être prédéterminé, mais peut varier d'une journée à l'autre. Par conséquent, les doses d'insuline ultra-rapide sont elles aussi variables, et elles sont chaque fois déterminées en fonction de la quantité de glucides ingérés. Désormais, c'est l'insuline qui est au service de la consommation alimentaire, et non plus la consommation alimentaire qui est au service de l'insuline. On est enfin plus libre de manger ce qu'on veut! *Yes*!

Le niveau avancé, c'est bon pour qui?

Le niveau avancé du calcul des glucides s'adresse plus spécifiquement aux personnes diabétiques de type 1 qui reçoivent plusieurs injections d'insuline par jour, incluant des injections d'insuline à action ultra-rapide à chaque repas, ou encore à celles qui sont traitées par pompe à insuline. Ces personnes doivent également déjà être familières avec l'approche simplifiée du calcul des glucides.

Bien entendu, **la décision de passer à un plan d'alimentation axé sur le niveau avancé ne peut se prendre sans consultation avec le médecin traitant et l'équipe de soins.** Notamment, la diététiste sera une partenaire incontournable pour déterminer plusieurs éléments essentiels du nouveau plan d'alimentation.

Et on s'en doute, ça prend aussi de la part de la personne diabétique, ou de ses parents s'il s'agit d'un enfant, la volonté et la capacité de tenir de façon rigoureuse le relevé détaillé des apports en glucides, de faire encore plus de mesures de glycémie et de calculs mathématiques, et d'en apprendre encore davantage sur les divers glucides et leurs effets sur la glycémie.

Les caractéristiques du niveau avancé

Outre le fait qu'il favorise une plus grande souplesse dans les apports alimentaires, le niveau avancé du calcul des glucides intègre des éléments qui tiennent compte de la réponse physiologique particulière de chaque personne diabétique, relativement à l'administration d'insuline exogène et à la consommation de glucides.

Ces éléments sont les suivants.

✓ **Les ratios insuline / glucides individualisés**, qui permettent de déterminer les doses d'insuline à action ultra-rapide nécessaires pour couvrir la consommation de glucides alimentaires.

✓ **Le facteur de sensibilité à l'insuline**, qui permet de calculer les doses d'insuline à action ultra-rapide nécessaires à la correction des hyperglycémies.

Voyons de plus près ce que cela veut dire.

Les ratios insuline / glucides

On le sait, les quantités d'insuline s'expriment en « unités ». Et les quantités de glucides s'expriment en « grammes ». Un « ratio insuline / glucides », c'est le rapport qui existe entre le nombre d'unités d'insuline requises pour couvrir un nombre X de grammes de glucides. Un ratio sera exprimé de la façon suivante : 1 : 15 (ou encore 1 unité pour 15 grammes), 1 : 20 (ou encore 1 unité pour 20 grammes), etc.

Une minute, là! On connaissait les patios, mais pas les ratios! C'est une nouvelle invention, ça? C'est pour nous mêler tout de suite en partant?

Eh non, ce n'est pas une nouvelle invention! Par contre, on n'en parle pas nécessairement toujours dans ces termes-là. Par exemple, une personne diabétique peut savoir qu'elle doit s'injecter 5 unités d'Humalog^{MD} pour son souper qui contient 75 grammes de glucides. Ou une autre sait qu'il lui faut 4 unités d'Humalog^{MD} pour son déjeuner qui inclut deux échanges de Féculents, un échange de Fruits et un échange de Lait. Dans les deux cas, le ratio insuline/glucides est de 1 pour 15. En effet, la première utilise 5 unités pour 75 grammes de glucides (75 ÷ 5 = 15, soit 15 g pour 1 unité, ou 1 unité pour 15 g), et la seconde 4 unités pour 60 grammes de glucides (60 ÷ 4 = 15, ou 1 unité pour 15 g). Pas si compliqué, n'est-ce pas?

Chez la plupart des personnes diabétiques, les ratios insuline/glucides varient entre 1 : 6 et 1 : 20. On dit de la personne dont le ratio est plus près du 1 : 6 qu'elle est plus *résistante à l'insuline* car, pour une même quantité de glucides consommés, elle a besoin d'une plus grande dose d'insuline pour ramener sa glycémie dans les bonnes valeurs après un repas, comparée à une autre personne diabétique dont le ratio est 1 : 15 ou 1 : 20. La résistance à l'insuline est souvent liée au niveau d'activité physique d'une personne et à sa composition corporelle.

Notons que, pour la majorité des personnes diabétiques, les «bonnes valeurs de glycémie» deux ou trois heures après un repas se situent entre 5 et 10 mmol/L, alors qu'avant un repas, ou à jeun le matin, elles se situent entre 4 et 7 mmol/L.

Un exemple pour illustrer tout ça :

Un bon matin, trois amis diabétiques de type 1 vont déjeuner ensemble au restaurant du coin. Tous les trois appliquent le niveau avancé du calcul des glucides. Deux d'entre eux, Gaston et Roger, sont aux injections multiples. Le troisième, Henri, est porteur d'une pompe à insuline. Gaston est un bon vivant, plutôt sédentaire, avec quelques «poignées d'amour» au-dessus de la ceinture. Roger est mince comme un fil, c'est le sportif du groupe, toujours à vélo l'été et en ski l'hiver. Enfin, Henri est de stature moyenne, relativement actif, un peu l'entre-deux de Gaston et Roger.

Les glycémies des trois amis avant le déjeuner sont : 6,3 mmol/L pour Gaston, 5,0 pour Roger, et 6,8 pour Henri.

Par hasard, tous les trois choisissent le même déjeuner, soit un croissant au jambon et fromage avec un grand jus d'orange et un café. Ils évaluent que le contenu total en glucides de leur déjeuner est de 72 grammes.

Chacun calcule sa dose d'insuline ultra-rapide nécessaire pour couvrir cette quantité de glucides. Gaston arrive à une valeur de 9 unités, Roger à une valeur de 4,5 unités et Henri à une valeur de 6 unités.

Après s'être administré leurs injections (ou bolus) respectives, les trois amis déjeunent, puis chacun s'en va de son côté. Lorsqu'ils refont une glycémie deux heures après leur déjeuner, Gaston est maintenant à 8,9 mmol/L, Roger à 5,3, et Henri à 9,4.

Dans cet exemple, les glycémies mesurées deux heures après le repas ont été à l'intérieur des valeurs cibles pour tous les trois. C'est parce que chacun a appliqué correctement son ratio personnalisé. Celui de Gaston était de 1 : 8, celui de Roger était de 1 : 16, et celui d'Henri était de 1 : 12.

Mais comment détermine-t-on ces fameux ratios personnalisés ? Ça ne se fait pas au hasard, on s'en doute bien. En fait, deux étapes sont nécessaires. La première étape est l'estimation d'un ratio «de départ» approprié à chaque personne diabétique, au moyen d'une méthode de calcul appelée la *Règle du 500*. La seconde étape consiste à tester ce ratio pendant quelques jours sur ladite personne, et à l'adapter au besoin pour différentes périodes de la journée.

La Règle du 500

Cette formule mathématique a été proposée par des spécialistes du diabète, à la suite de plusieurs années d'observation clinique auprès de leurs patients. Ces spécialistes ont pu estimer qu'en divisant le nombre 500 par la dose totale quotidienne (DTQ) d'insuline requise par une personne diabétique on obtenait une bonne estimation de la quantité de grammes de glucides couverte par une unité d'insuline ultra-rapide chez cette personne.

Par exemple, prenons un cas d'injections multiples avec les doses quotidiennes habituelles suivantes.

Avant-midi : 13 unités de Novolin^{MD} ge NPH (insuline à action intermédiaire) + 5 unités de NovoRapid^{MD} (insuline à action ultra-rapide)

Midi : 7 unités de NovoRapid^{MD}

Souper : 8 unités de NovoRapid^{MD}

Coucher : 12 unités de Novolin^{MD} ge NPH

En tout, la DTQ est égale à : 13 + 5 + 7 + 8 + 12 = 45 unités.

500 ÷ 45 = 11 (on arrondit à l'entier le plus près)

D'après le calcul, une unité de NovoRapid^{MD} couvrirait environ 11 g de glucides ; le ratio de départ est donc de 1 : 11 dans ce cas.

Prenons un deuxième cas, celui d'une personne recevant de l'Humalog^{MD} (insuline à action ultra-rapide) au moyen d'une pompe à insuline. La mémoire de sa pompe indique les doses quotidiennes totales d'insuline (administrées selon le débit de base + les bolus alimentaires + les bolus de correction d'hyperglycémie) qui ont été injectées au cours des trois derniers jours.

Jour 1 : 34,6 unités

Jour 2 : 38,3 unités

Jour 3 : 35,1 unités

La DTQ moyenne est de 36 unités.

$$500 \div 36 = 14$$

D'après le calcul, une unité d'Humalog[MD] *couvrirait environ 14 g de glucides ; le ratio de départ est donc 1 : 14 pour cette personne.*

Attention !

Votre propre ratio de départ doit toujours être vérifié par votre équipe de soins. Dans certains cas particuliers, la Règle du 500 peut soit surestimer, soit sous-estimer les ratios requis.

Le test du ratio de départ

Une fois le ratio de départ calculé, il faut s'assurer qu'il est approprié. Cela se fait par un test de quelques jours, au cours desquels la personne diabétique utilisera son ratio pour calculer ses doses d'insuline ultra-rapide (dans le cas d'injections multiples) ou ses bolus alimentaires (dans le cas d'une pompe à insuline). Pendant la période de test, la personne diabétique devra essayer de garder les quantités de glucides consommées les plus régulières possible d'une journée à l'autre. Elle devra aussi être disposée à mesurer sa glycémie très souvent, soit avant les repas, et deux heures et quatre heures après chaque repas.

Nous avons souvent mentionné dans les chapitres précédents le phénomène, fréquent, de résistance à l'insuline en début de matinée. Rappelons que cette résistance à l'insuline est due à la sécrétion, vers la fin de la nuit, de plus grandes quantités d'hormones de contre-régulation (revoir au besoin le chapitre 1).

Comme la plupart des personnes diabétiques sont touchées par ce phénomène, il n'est pas rare que, lors de la période de test du ratio de départ, on recommande pour le déjeuner un ratio un peu plus élevé que le ratio calculé par la Règle du 500.

Dans les deux cas ci-dessus, les ratios de départ étaient respectivement de 1 : 11 et de 1 : 14.

Pendant la période de test, on recommanderait probablement à la première personne un ratio de 1 : 9 ou de 1 : 10 pour le déjeuner. De la même façon, il pourrait être conseillé à la seconde d'utiliser pour son déjeuner un ratio de 1 : 12 ou de 1 : 13 pour calculer ses doses d'insuline.

Un exemple d'application

C'est à nouveau le moment de faire appel à notre amie Mélanie, qui depuis quelques mois déjà met en application avec succès l'approche simplifiée du calcul des glucides (voir le chapitre 4).

L'équipe de soins est d'accord, Mélanie est maintenant mûre pour le niveau avancé !

Au début de son diabète, les doses quotidiennes d'insuline de Mélanie ont été assez fluctuantes. Les jours suivant sa sortie de l'hôpital, elle prenait en moyenne environ 30 unités d'insuline au total (16 unités d'Humulin N^{MD}, 14 unités d'Humalog^{MD}). Puis, comme c'est souvent le cas dans les premiers temps, elle s'est mise à faire des hypoglycémies fréquentes, et ses doses ont dû être diminuées jusqu'à un total quotidien d'environ 22 unités par jour. Au bout d'à peu près deux mois, Mélanie a commencé à être souvent en hyperglycémie, et il a fallu réajuster ses doses à la hausse. Depuis quelques semaines, celles-ci sont stables à environ 33 unités par jour, soit 17 unités d'Humulin N^{MD} et 16 unités d'Humalog^{MD}.

Quel serait le ratio insuline / glucides de Mélanie ?

Selon la Règle du 500, il serait de : 500 ÷ 33 = 15, soit un ratio d'une unité d'Humalog ᴹᴰ pour 15 grammes de glucides (1 : 15).

C'est son ratio calculé « global », qui pourrait s'appliquer pour le dîner et le souper. Pour le déjeuner, on pourrait commencer avec un ratio un peu plus élevé, par exemple 1 unité d'Humalog ᴹᴰ pour 13 grammes de glucides.

Mélanie a reçu de son équipe de soins toute l'information nécessaire pour tester ses ratios insuline / glucides. On lui demande maintenant de tenir pendant une semaine un relevé très minutieux de son alimentation et de sa glycémie. Pendant ces quelques jours, elle devra encore respecter les quantités de glucides allouées dans son plan d'alimentation habituel pour le déjeuner (45 grammes), le dîner (60 grammes) et le souper (90 grammes). Ce sont les trois repas de la journée pour lesquels elle s'injecte de l'Humalog ᴹᴰ. Selon les ratios à tester, la dose du matin sera de 3,5 unités (45 grammes ÷ 13 grammes), celle du midi de 4 unités (60 grammes ÷ 15 grammes) et celle du souper de 6 unités (90 grammes ÷ 15 grammes). Pour la période de test, on demande aussi à Mélanie de ne pas consommer de glucides à la collation de l'après-midi. Par contre, elle continuera de prendre sa collation en soirée comme à l'habitude.

Pendant la durée de la période de test, Mélanie devra mesurer sa glycémie avant chaque repas, ainsi que deux heures et quatre heures après chaque repas.

Mélanie a bien fait son travail. Elle revient au bout d'une semaine avec son relevé alimentaire et son carnet de glycémie soigneusement complétés. La diététiste commence d'abord par repérer les occasions où la glycémie mesurée avant le repas était bien dans les valeurs cibles. En effet, dans les cas d'hyperglycémie ou d'hypoglycémie avant le repas, on ne peut pas vraiment vérifier si les ratios insuline / glucides sont adéquats. Selon les relevés de glycémie de Mélanie, ses glycémies étaient entre 4 et 7 mmol / L avant cinq des sept déjeuners, avant quatre des sept dîners et avant six des sept soupers. Pour ces 15 repas, la diététiste vérifie le relevé alimentaire dans lequel Mélanie a consigné tous les aliments et boissons qu'elle a consommés, ainsi que la taille des portions. La vérification du relevé indique que Mélanie a très bien respecté dans l'ensemble les quantités de glucides allouées. Il n'y a que pour un déjeuner et un souper qu'elle a fait des erreurs, de l'ordre de 5 à 10 grammes chaque fois. Dans la vérification des ratios, la diététiste ne tiendra donc pas compte de ces deux repas.

Finalement, d'après les quatre déjeuners, quatre dîners et cinq soupers retenus, il n'y a que la valeur moyenne de glycémie deux heures après le déjeuner qui excède la limite supérieure des valeurs cibles. En effet, alors qu'on vise à ce moment une glycémie entre 5 et 10, la moyenne de Mélanie était de 12,3. Il est donc décidé de modifier le ratio du déjeuner, et de le fixer plutôt à 1 unité d'Humalog^{MD} pour 12 grammes de glucides.

Le ratio du dîner et du souper est adéquat à 1 : 15, puisque les moyennes de glycémie deux heures après ces repas se situent entre 5 et 10, et les moyennes quatre heures après sont entre 4 et 7.

Jusqu'à maintenant, alors qu'elle suivait un plan d'alimentation basé sur l'approche simplifiée du calcul des glucides, Mélanie prenait l'après-midi une collation contenant 15 grammes de glucides, sans dose additionnelle d'Humalog^{MD}. Toutefois, dans les derniers temps, elle avait observé que sa glycémie d'avant le souper était souvent un peu haute. À l'avenir, si Mélanie prend une collation en après-midi, quelle stratégie devra-t-elle adopter ?

Là encore, il faudrait le tester! Normalement, le ratio 1 : 15 serait valable l'après-midi aussi. Par contre, s'il s'agit d'un moment de la journée où Mélanie est plus active physiquement (par exemple, si elle rentre du cégep à pied), il se peut que son ratio soit plus faible, de l'ordre de 1 unité pour 20 grammes de glucides par exemple.

De façon générale, il est d'ailleurs possible que Mélanie ait parfois à ajuster ses ratios, selon certaines circonstances particulières. Dans son cas, les deux situations qui risquent le plus de nécessiter des ajustements sont :

a) les occasions où elle fait plus de sport ou d'activité physique qu'à l'ordinaire (dans ces cas, nous venons de le mentionner, le ratio sera ajusté à la baisse, c'est-à-dire que le nombre de grammes couvert par une unité d'insuline sera *plus élevé* qu'à l'habitude) ;

b) au cours de son cycle menstruel, les jours où elle a ses règles (ou encore juste avant celles-ci), car les hormones alors présentes dans son corps peuvent avoir pour effet de rendre l'action de l'insuline moins efficace. Dans ce cas, les ratios seront plutôt ajustés à la hausse, c'est-à-dire que le nombre de grammes couvert par une unité d'insuline sera *plus faible* qu'à l'habitude.

Une fois les bons ratios déterminés, Mélanie n'a plus à se limiter à des apports de glucides prédéterminés. Elle sait désormais ajuster ses doses d'Humalog[MD] à l'aide de ses ratios insuline / glucides. Si par exemple un matin elle veut se contenter d'une seule rôtie avec un peu de fromage (total : 18 grammes de glucides), elle ne prendra que 1,5 unité d'Humalog[MD] avec sa dose habituelle d'Humulin N[MD]. Si un soir elle est invitée chez des amis pour une bonne bouffe qui totalise 120 grammes de glucides, elle prendra 8 unités d'Humalog[MD]. Les doses d'insuline n'ont plus le contrôle sur son alimentation, c'est Mélanie elle-même qui a pris les commandes !

Tout ça, c'est bien beau, mais les hypoglycémies et les hyperglycémies, ça continue de faire partie de la vie des personnes diabétiques, non ? À moins que les ratios aient des effets magiques ?

C'est certain que le fait d'appliquer les bons ratios diminue les risques d'hypoglycémie et d'hyperglycémie, mais malheureusement, c'est vrai, les personnes diabétiques continuent d'en vivre de temps en temps même avec le niveau avancé du calcul des glucides.

Quand elles sont en hypoglycémie, le traitement est le même qu'avant : du glucose ou du sucre, et vite !

Par contre, pour l'hyperglycémie, on procède selon un nouveau concept : le facteur de sensibilité à l'insuline.

La correction de l'hyperglycémie à l'aide du facteur de sensibilité à l'insuline

Le facteur de sensibilité à l'insuline est une valeur propre à chaque personne diabétique, qui permet de prédire de combien d'unités (en mmol / L) sa glycémie sera réduite par l'administration d'une unité d'insuline à action rapide ou ultra-rapide.

Traditionnellement, lorsqu'on suit un plan d'alimentation avec des quantités prédéterminées de grammes de glucides ou encore avec des nombres fixes d'équivalents, les doses d'insuline sont les mêmes d'une journée à l'autre, sauf lors d'hyperglycémies. Pour les traiter, la plupart des personnes diabétiques disposent d'un «guide de correction de l'hyperglycémie», qui peut prendre par exemple la forme suivante.

Glycémie avant un repas entre 10 et 14 : ajouter 1 unité d'Humalog[MD] *à la dose habituelle.*

Glycémie avant un repas entre 14 et 18 : ajouter 2 unités d'Humalog[MD] *à la dose habituelle.*

Glycémie avant un repas entre 18 et 22 : ajouter 3 unités d'Humalog[MD] *à la dose habituelle.*

Et ainsi de suite, sans oublier de vérifier les cétones, évidemment !

Ce genre de guide a l'avantage d'être simple et de ne nécessiter aucune opération mathématique, puisqu'il suffit d'appliquer la dose additionnelle prévue. Cependant, comme d'autres outils «semi-quantitatifs», il ne produit pas toujours l'effet escompté : l'hyperglycémie peut être corrigée, mais seulement partiellement. On imagine bien aussi que l'administration de 1 unité d'insuline aura un effet différent chez une personne dont la glycémie est à 13,9 mmol / L que l'administration de 2 unités si sa glycémie était à 14,2 !

Avec le facteur de sensibilité à l'insuline, l'hyperglycémie peut être corrigée de façon beaucoup plus précise, même si cela requiert un peu plus de calculs. Mais, comme on utilise ce facteur pour le niveau avancé de calcul des glucides, on part du principe que les adeptes de la méthode sont déjà à l'aise avec la règle de trois et l'ajustement de l'insuline. Emmenez-en, des formules !

Cette fois, la formule s'appelle la *Règle de 100*, car le facteur de sensibilité à l'insuline (FSI) se calcule de la façon suivante :

$$FSI = 100 \div \text{dose totale quotidienne d'insuline}$$

Attention : la Règle de 100 est valable avec les insulines à action ultra-rapide (analogues de l'insuline humaine telles que Humalog^{MD} et NovoRapid^{MD}). Si on utilise de l'insuline à action rapide aux repas (ex. : Novolin Toronto^{MD} ou Humulin R^{MD}), on utilise le nombre 85 plutôt que 100 dans l'équation.

Par exemple, si une personne diabétique est traitée par pompe à insuline et qu'elle utilise au total 40 unités d'insuline à action ultra-rapide par jour (débit de base plus bolus alimentaires), son facteur de sensibilité à l'insuline est : $FSI = 100 \div 40 = 2{,}5$.

Chez elle, une unité d'insuline à action ultra-rapide diminue la glycémie de 2,5 mmol / L.

Chez une autre personne diabétique, traitée par injections multiples et nécessitant 32 unités d'insuline à action intermédiaire et 24 unités d'insuline à action rapide, le facteur de sensibilité à l'insuline est : $FSI = 85 \div 56 = 1{,}5$.

Chez cette personne, une unité d'insuline à action rapide diminue la glycémie de 1,5 mmol / L.

Ici encore, chaque personne diabétique doit faire déterminer son facteur de sensibilité à l'insuline par son médecin traitant. Les formules ne sont pas applicables chez 100 % des personnes !

Une fois le facteur de sensibilité à l'insuline connu, on peut l'utiliser selon la formule suivante pour calculer la dose additionnelle d'insuline requise pour corriger une hyperglycémie.

Dose de correction = (glycémie mesurée – glycémie cible) ÷ FSI

C'est aussi le médecin traitant qui doit fixer la glycémie cible de chaque personne diabétique, et déterminer à quels moments il est approprié pour elle de s'administrer une dose de correction d'hyperglycémie.

Revenons à Mélanie. Imaginons qu'un matin elle se lève avec une glycémie de 12,8. Si le déjeuner qu'elle veut prendre compte 50 grammes de glucides, quelle dose d'Humalog^{MD} devrait-elle s'administrer ?

Récapitulons.

D'abord, le ratio insuline / glucides de Mélanie pour le déjeuner est de 1 : 12. Pour couvrir 50 grammes de glucides, elle a besoin de 4,2 unités (50 ÷ 12).

Quelle est la dose additionnelle requise pour corriger son hyperglycémie ? Il faut d'abord connaître son facteur de sensibilité à l'insuline, qu'on peut calculer avec la Règle de 100. On a déterminé que sa dose quotidienne totale était de 33 unités d'insuline.

Donc, le FSI de Mélanie = 100 ÷ 33 = 3,0 (chez elle, une unité d'Humalog^{MD} peut faire baisser la glycémie de 3,0 mmol / L).

Et quelle est sa glycémie cible le matin ? Son médecin lui a recommandé d'utiliser la valeur 6,0 mmol / L.

Sa dose de correction doit donc être égale à : (12,8 [glycémie mesurée] − 6,0 [glycémie cible]) ÷ 3,0 (facteur de sensibilité à l'insuline) = 6,8 ÷ 3,0 = 2,3 unités.

Au total, la dose d'Humalog [MD] que Mélanie doit s'administrer ce matin-là est de 6,5 unités, soit 4,2 unités (pour couvrir les glucides) + 2,3 unités (pour corriger l'hyperglycémie).

Maintenant qu'elle maîtrise à la fois les ratios insuline / glucides et le facteur de sensibilité à l'insuline, Mélanie a l'impression d'avoir beaucoup plus de contrôle, pas seulement sur son alimentation, mais aussi sur son diabète en général !

Puisqu'elle peut maintenant manier toutes ces formules avec aisance, peut-on dire de Mélanie qu'elle est devenue une experte du niveau avancé du calcul des glucides ? Pas tout à fait encore.

Il y a en effet deux volets à l'expression : il faut être avancé en **calcul**, mais également dans la **connaissance des glucides** eux-mêmes ! Pour pouvoir vraiment tirer profit de tous les ajustements fins que permet la méthode, il est important, encore plus qu'avec l'approche simplifiée, de pouvoir reconnaître les divers glucides contenus dans les aliments et les produits alimentaires, et de savoir les distinguer en fonction de leurs effets sur la glycémie.

Les divers glucides et leurs effets sur la glycémie

Au chapitre 1, nous avons mentionné que, dans les aliments, les glucides sont présents principalement sous deux formes : les **amidons** (qui sont des glucides complexes) et les **sucres**. Lors de la digestion, ces deux formes de glucides libèrent majoritairement du glucose, que les cellules intestinales absorbent et relarguent dans la circulation sanguine. De ce fait, les amidons et les sucres peuvent faire augmenter la glycémie de façon substantielle.

Mais la famille des glucides comprend aussi d'autres membres, certains bien connus, d'autres moins.

Ainsi, il n'y a pas que les amidons qui soient des glucides complexes. Les **fibres alimentaires** en sont aussi. Et, dans de nombreux cas, l'unité constituante de base des molécules de fibres est aussi le glucose. Pourtant, les fibres n'ont aucun effet sur la glycémie.

Comment cela est-il possible? Simplement parce que les fibres alimentaires résistent à la digestion par les enzymes intestinales humaines. Et cette résistance s'explique par la façon dont les molécules sont liées entre elles.

Prenons le cas de l'amidon et de la cellulose. Ce sont tous deux des glucides complexes constitués de très longues chaînes d'unités de glucose. Mais, dans l'amidon, les glucoses sont reliés les uns aux autres par une liaison de type «alpha», alors que, dans la cellulose, ce sont des liaisons «bêta». Or, l'amylase (c'est-à-dire l'enzyme intestinale qui digère l'amidon) ne reconnaît que les liens «alpha». Dès que l'un deux se présente, *schlak!*, elle le brise. Et de *schlak!* en *schlak!*, la molécule d'amidon est transformée petit à petit en plusieurs molécules de glucose, qui sont absorbées et font monter la glycémie. Mais l'amylase n'a rien à faire des liens «bêta». La cellulose transite donc en toute quiétude tout le long de l'intestin grêle, et arrive intacte dans le gros intestin. Rendue là, elle est malmenée à son tour par les enzymes de la flore intestinale, mais le glucose qu'elle libère en partie est vite avalé par les bactéries, ne peut pas être absorbé par la paroi intestinale et n'a donc aucun effet sur la glycémie.

Une remarque importante s'impose ici: même si les fibres n'ont pas d'effet sur la glycémie, ce ne sont pas des constituants alimentaires «insignifiants»! On a déjà mentionné leur rôle dans le ralentissement de la vidange gastrique et de la digestion, et on connaît aussi leur potentiel à régulariser le transit et à prévenir la constipation. Diabète ou pas, il faut en consommer quotidiennement!

Un autre glucide complexe qui n'a aucun effet sur la glycémie est le **polydextrose**. Il ne s'agit pas d'un glucide naturel, mais plutôt d'un produit de synthèse, utilisé comme agent de masse (ou, si l'on veut, comme ingrédient destiné à donner du «volume») dans certains produits alimentaires. Tout comme les fibres, le polydextrose n'est ni digéré ni absorbé dans l'intestin grêle, mais il peut être partiellement dégradé par les bactéries de la flore intestinale.

Un dernier groupe de la famille des glucides qu'il est important de connaître est celui des **sucres-alcools**, qu'on appelle aussi « polyols » ou « polyalcools », ou encore « itols ».

> Les sucres-alcools sont en fait des cousins proches des sucres, car ils ne diffèrent de ceux-ci que par un petit groupement chimique. Parmi les sucres-alcools, on retrouve l'isomalt, le lactitol, le maltitol, le mannitol, le sorbitol et le xylitol.

Les sucres-alcools se retrouvent à l'état naturel dans certains végétaux, mais la plupart sont commercialisés à partir de la transformation d'autres sucres. Ils ont un goût sucré qui rappelle un peu la menthe glacée. Ils sont moins caloriques que le sucre, et ne favorisent pas la carie dentaire. On les retrouve dans plusieurs gommes à mâcher et confiseries « sans sucre ». Consommés en grandes quantités, ils peuvent avoir un effet laxatif. Alors, pas d'abus !

Les sucres-alcools ont-ils un effet sur la glycémie ? Très bonne question, mais la réponse n'est pas évidente, du moins dans l'état actuel des connaissances.

Ce que l'on sait, c'est que les sucres-alcools, contrairement aux sucres, ne sont pas entièrement absorbés au moment de leur passage dans l'intestin grêle. Le pourcentage d'absorption varierait entre zéro et soixante-quinze pour cent. Et sur la partie absorbée, on ne sait pas exactement quelle proportion pourrait ensuite être transformée en glucose dans le foie, et faire augmenter la glycémie. Selon les études les plus récentes, le seul sucre-alcool qui aurait un effet glycémique notable serait le maltitol, et encore cet effet serait-il beaucoup plus modeste que celui de sucres tels que le glucose ou le sucrose.

En somme, les éléments clés à retenir pour le niveau avancé du calcul des glucides sont les suivants :

- les sucres et les amidons ont un effet considérable sur la glycémie ;
- les fibres alimentaires et le polydextrose n'ont aucun effet sur la glycémie ;
- les sucres-alcools ont un effet modeste sur la glycémie.

Comment doit-on en tenir compte dans le calcul des glucides ?

Comme nous l'avons vu au chapitre 4, les personnes qui appliquent l'approche simplifiée du calcul des glucides :

✓ doivent connaître la quantité totale de glucides contenue dans chaque portion d'aliment consommé ;

✓ doivent soustraire la quantité de fibres de la quantité totale de glucides, si l'aliment contient plus de 5 grammes de fibres par portion ;

✓ pour un repas donné, doivent respecter à 5 grammes près leur allocation prédéterminée de glucides.

Avec le niveau avancé, il n'y a plus d'allocation prédéterminée. Mais si la quantité de glucides consommée peut varier d'un repas à l'autre et d'une journée à l'autre, doit-elle être estimée très exactement, ou est-ce qu'une certaine marge d'erreur peut être acceptable, comme avec l'approche simplifiée ?

En fait, puisqu'on utilise des formules très précises pour calculer les doses d'insuline requises pour contrer l'élévation de la glycémie après un repas, on doit essayer de calculer le plus précisément possible aussi la quantité de glucides qui apparaîtront dans la circulation sanguine.

Cela signifie d'une part qu'on doit continuer d'être très vigilant dans l'évaluation des portions consommées d'aliments glucidiques (on doit toujours lire les étiquettes, mesurer, peser au besoin…), et d'autre part qu'on doit maintenant toujours tenir compte, le cas échéant, des teneurs en fibres, en polydextrose et en sucres-alcools des aliments consommés.

Plus précisément, les personnes qui appliquent **le niveau avancé** du calcul des glucides doivent, pour chaque portion d'aliment glucidique :

✓ soustraire de la quantité totale de glucides la quantité de fibres, quelle qu'elle soit ;

✓ soustraire de la quantité totale de glucides la quantité de polydextrose présent dans l'aliment ;

✓ soustraire de la quantité totale de glucides la moitié (50 %) de la quantité des sucres-alcools présents dans l'aliment.

À cette étape de l'apprentissage du niveau avancé, ce sera à la diététiste d'aider la personne diabétique à développer ses compétences. Ainsi, à partir des emballages de plusieurs produits alimentaires, elle lui montrera comment repérer les teneurs en glucides totaux, en fibres, en polydextrose et en sucres-alcools (on le verra au prochain chapitre qui porte sur l'étiquetage des aliments, ce n'est pas toujours particulièrement évident !). Elle lui apprendra aussi à «décoder» les listes d'ingrédients, à comprendre la signification des diverses allégations sur la teneur en sucres, en glucides, etc. Bref, encore pas mal de pain sur la planche !

Mélanie se pose des questions à propos de la quantité de glucides de deux produits qu'elle a achetés récemment : des gaufrettes au chocolat «sans sucre ajouté», et une barre protéinique sur l'emballage de laquelle il est inscrit : *For Low-Carb Lifestyle*. D'après ce qu'elle peut voir dans le tableau de valeur nutritive, aucun de ces deux produits ne contient de fibres. Alors doit-elle faire comme avant, et ne retenir pour ses calculs que la quantité totale de glucides par portion ? Pour les gaufrettes au chocolat, le tableau indique 17 grammes de glucides pour trois biscuits, et pour la barre protéinique, 19 grammes de glucides par barre.

Pour les gaufrettes, la diététiste fait observer qu'il est inscrit sur l'emballage « Édulcoré avec sorbitol et aspartame ». L'aspartame est un édulcorant de synthèse à saveur intense qui ne fait pas partie des glucides, et qui n'a aucun effet sur la glycémie. Par contre, le sorbitol est un sucre-alcool qui peut avoir un certain effet glycémique. Dans le tableau de valeur nutritive, sous les 17 grammes de glucides, on peut lire : « Sorbitol 10 g ». Si elle consomme trois gaufrettes, Mélanie devrait calculer pour ses glucides :

$$17 \text{ g} - 5 \text{ g } (50\% \text{ de } 10 \text{ g}) = 12 \text{ grammes.}$$

Pour la barre protéinique, on peut lire dans la liste des ingrédients : « Polydextrose 9 grammes par barre ». Si elle consomme une barre, Mélanie devrait calculer pour ses glucides : 19 g – 9 g = 10 grammes.

On se rappelle que le ratio insuline / glucides de Mélanie pour le déjeuner est de 1 : 12. Si jamais elle mangeait les trois gaufrettes et la barre protéinique à ce repas, la quantité d'insuline ultra-rapide nécessaire serait de : 22 g (12 + 10) ÷ 12 g / unité, soit 1,8 unité, et non pas 36 g (17 + 19) ÷ 12 g / unité, soit 3,0 unités. L'unité de trop pourrait bien provoquer une hypoglycémie ; de là l'importance de bien calculer les glucides de ces produits !

Une fois tous ces détails bien appris et bien compris, la personne diabétique est encore plus susceptible de calculer avec exactitude les doses d'insuline qui doivent couvrir ses apports en glucides.

Il lui reste toutefois une dernière étape, pour laquelle il n'existe malheureusement pas de formules toutes faites : observer les réactions glycémiques particulières que certains aliments peuvent provoquer chez elle, et qui peuvent être liées à leur indice glycémique.

L'indice glycémique : un allié ou un trouble-fête dans le calcul des glucides ?

Le concept d'« indice glycémique » des aliments a été diffusé au cours des dernières années par certains régimes amaigrissants populaires, mais le principe repose en réalité sur des observations scientifiques qui ont été faites au début des années 1980.

Avant cette époque, on avait l'habitude de classer les glucides en deux catégories : les «glucides lents», et les «glucides rapides». Et on se basait sur la longueur des chaînes de molécules pour déterminer dans laquelle des deux catégories les glucides devaient se retrouver.

Ainsi, comme les sucres sont des molécules très courtes, avec une ou deux unités par chaîne seulement (revoir au besoin le chapitre 1), on pensait qu'ils étaient tous digérés et absorbés très vite, qu'ils devaient faire monter rapidement la glycémie et qu'ils étaient donc des glucides rapides.

À l'inverse, comme les amidons sont des molécules très longues, on avait l'impression que leur digestion et leur absorption devaient prendre beaucoup de temps, qu'ils devaient faire monter très graduellement la glycémie et qu'ils étaient donc des glucides lents.

Pendant des dizaines d'années, plusieurs régimes «pour diabétiques» ont d'ailleurs été basés sur ces croyances. Ils interdisaient tous les sucres et aliments sucrés, mais permettaient de grandes quantités de féculents. Ces régimes ne favorisaient pas un très bon contrôle métabolique, on le sait maintenant !

En effet, dès la fin des années 1970, quelques chercheurs américains ont rapporté que les glucides dits «rapides» n'avaient pas toujours un effet si important sur la glycémie, alors que des glucides classés «lents» pouvaient au contraire la faire monter très haut, très vite !

Quant à l'indice glycémique proprement dit, c'est une découverte bien canadienne, tout comme l'insuline d'ailleurs !

Ce sont en effet deux chercheurs de l'Université de Toronto, David Jenkins et Thomas Wolever, qui, à la suite des observations des chercheurs américains, ont testé l'effet de dizaines d'aliments sur la glycémie et ont proposé de les classer dans une échelle allant de 0 à 100, 0 étant un effet glycémique nul, 100 étant l'effet du glucose pur.

Un peu plus en détails, comment l'indice glycémique d'un aliment est-il déterminé?

On doit d'abord recruter quelques volontaires (dans certaines études, les volontaires ont été des personnes diabétiques, dans d'autres études des non-diabétiques). Ces personnes doivent se présenter à jeun à l'unité de recherche, pendant quelques matins consécutifs. Un des matins, ils ont à consommer 50 grammes de glucose pur, et on mesure leur glycémie avant, ainsi qu'à chaque demi-heure pendant les deux heures qui suivent. Les autres matins, ils doivent chaque fois consommer une portion d'aliment à tester contenant aussi 50 grammes de glucides, en excluant les glucides à effet glycémique nul (fibres et polydextrose). Par exemple, si l'aliment à tester est du pain de blé entier qui contient 28 grammes de glucides (dont 3 grammes de fibres) par portion de 50 grammes, ils doivent en consommer 100 grammes pour le test. Les glycémies sont aussi mesurées avant la consommation de l'aliment, ainsi qu'à chaque demi-heure pendant les deux heures suivantes. Une fois tous les tests complétés pour tous les volontaires, on rapporte sur un graphique les courbes moyennes de glycémies pour chaque aliment, et on calcule la surface sous la courbe de glycémie, ou l'«aire glycémique». Ensuite, on exprime les résultats de la façon suivante : l'aire glycémique obtenue par le test du glucose est fixée à une valeur de 100, et l'aire glycémique sous la courbe des autres aliments est exprimée en pourcentage de celle du glucose. Ainsi, si la surface sous la courbe de glycémie provoquée par le pain de blé entier est 65 % de celle du glucose, on dira que ce pain a un indice glycémique de 65, alors que le glucose a un indice glycémique de 100.

La détermination des indices glycémiques a révélé plusieurs surprises : on a ainsi appris que certains féculents (ex. : les légumineuses) ont des indices glycémiques très bas, alors que d'autres (ex. : certaines céréales à déjeuner ou divers types de craquelins) ont des indices très hauts. Quant aux sucres, le glucose a bien entendu une indice glycémique très élevé, mais le sucre de table et le miel sont plutôt modérés !

Depuis une vingtaine d'années, plusieurs autres équipes de chercheurs de partout dans le monde se sont intéressées au concept, et on retrouve maintenant dans la littérature scientifique des tables qui rapportent les indices glycémiques spécifiques de milliers d'aliments ou produits alimentaires différents.

Comme il est impossible à quiconque de mémoriser de telles tables, et comme d'ailleurs les indices glycémiques ne sont toujours déterminés que chez quelques personnes à la fois, certains organismes jugent préférables de ne pas utiliser les indices spécifiques des aliments, mais plutôt de classer ceux-ci dans des catégories d'indices glycémiques.

Par exemple, l'Association canadienne du diabète (ACD) regroupe les aliments selon qu'ils sont à indice glycémique élevé (égal ou supérieur à 70), à indice glycémique moyen (56-69) ou à indice glycémique bas (égal ou inférieur à 55). Pour un meilleur contrôle de la glycémie, elle suggère de consommer de préférence des aliments à indice glycémique bas ou moyen.

Voir la section Ressources à la fin du livre pour savoir comment se procurer un exemplaire du document d'information de l'ACD.

Mais, quand on applique la méthode du calcul des glucides, doit-on se préoccuper des indices glycémiques des aliments qui composent nos repas?

Ainsi, la consommation de 60 grammes de glucides qui proviennent d'aliments à indice glycémique bas ne va-t-elle pas théoriquement nécessiter moins d'insuline que la consommation de 60 grammes de glucides contenus dans des aliments à indice glycémique élevé?

Si la question est posée de cette façon, la réponse est oui, évidemment. Mais en pratique les choses ne sont pas si simples, entre autres pour les raisons suivantes.

- Les indices glycémiques sont valables pour comparer entre elles des quantités d'aliments fournissant 50 grammes de glucides. Les portions réellement consommées peuvent être très différentes: par exemple, il est facile de consommer une portion de spaghettis contenant 50 g de glucides, c'est environ 1,5 tasse, alors que très rares sont les personnes qui vont consommer du même coup 50 g de glucides provenant du lait, car cela représente plus d'un litre !

- Toutes les études ne sont pas arrivées aux mêmes valeurs d'indices glycémiques. Par exemple, des études plus anciennes avaient classé la carotte dans la catégorie d'indice élevé, mais des études plus récentes l'ont reclassée dans la catégorie d'indice moyen.

- L'indice glycémique peut être grandement influencé par le mode de préparation de l'aliment. Par exemple, la pomme de terre aura des indices différents selon qu'elle est cuite au four ou bouillie, entière ou en purée.

- Beaucoup d'indices glycémiques ont été déterminés par des études auprès de personnes non diabétiques. Il n'est pas du tout certain qu'on arriverait aux mêmes valeurs avec un groupe de sujets diabétiques, encore moins avec une personne diabétique en particulier.

- Habituellement, les repas que nous prenons ne sont pas constitués d'un seul aliment glucidique. Il est possible de calculer l'indice glycémique « composite » ou « global » d'un repas, mais c'est long et compliqué.

En définitive, bien que tous s'entendent pour dire que les aliments à indice glycémique bas peuvent favoriser un meilleur contrôle de la glycémie, la plupart des experts ne recommandent pas d'intégrer ce concept de façon « mathématique » à la méthode du calcul des glucides, même au niveau avancé. Par contre, chaque personne diabétique qui pratique cette méthode doit être attentive à sa réaction particulière à certains aliments, et en tenir compte au besoin dans le calcul de ses doses d'insuline.

Après quelques semaines de mise en application du niveau avancé, Mélanie a observé qu'une certaine sorte de céréales à déjeuner provoque toujours chez elle une glycémie supérieure à 14,0, deux heures après le déjeuner.

Maintenant, les matins où elle mange ces céréales, elle utilise pour calculer sa dose d'insuline ultra-rapide un ratio de 1 : 10, plutôt que son ratio habituel de 1 : 12.

Le midi, Mélanie aime bien manger des soupes-repas. Elle a trouvé une bonne recette de soupe aux lentilles, mais les deux fois où elle en a mangé, elle a fait une hypoglycémie ! La prochaine fois qu'elle en consommera, Mélanie va essayer un ratio différent, probablement 1 : 20 plutôt que son 1 : 15 habituel.

Conclusion

La lecture de ce chapitre en a peut-être découragé certains, car il est vrai que le niveau avancé du calcul des glucides est une méthode relativement complexe, qui nécessite l'apprentissage de plusieurs nouveaux concepts et qui requiert implication, vigilance et attention.

Mais les premières semaines passées, une fois qu'on a bien déterminé ses ratios insuline / glucides et son facteur de sensibilité à l'insuline, et qu'on connaît de mieux en mieux les aliments glucidiques et leurs effets, le niveau avancé devient presque une seconde nature ! Et c'est alors qu'on peut en savourer les bénéfices.

En fait, la plupart des personnes diabétiques qui essaient cette méthode ne veulent plus revenir à leur plan d'alimentation antérieur, car elles se sentent désormais beaucoup plus libres dans leurs choix alimentaires.

Et comme chacun le sait, la liberté, ça n'a pas de prix !

CHAPITRE 6

L'étiquetage nutritionnel des aliments

Lorsqu'ils recherchent un endroit public où s'adonner à la lecture, la plupart des gens vont dans une bibliothèque municipale. Les personnes diabétiques, elles, vont plutôt à l'épicerie !

En effet, et on l'a vu abondamment jusqu'ici, les choix alimentaires ne peuvent se faire à la légère lorsqu'on est aux prises avec le diabète de type 1. Quel que soit le plan d'alimentation retenu, on doit toujours vérifier la composition, en matière d'aliments ou de nutriments, de chaque produit qu'on achète. Et comme dans les supermarchés d'aujourd'hui les allées sont nombreuses, les tablettes bien garnies et les étiquettes des produits alimentaires surchargées d'informations, faire ses courses équivaut souvent à se lancer dans un marathon de lecture !

Il ne faut cependant pas trop s'en plaindre. Imaginons une minute qu'il n'y ait sur les étiquettes que le nom et l'image des produits, par exemple uniquement un joli dessin de potage aux légumes sur une boîte de conserve, ou seulement la photo appétissante d'un gâteau au fromage sur un emballage cartonné… On aurait de la difficulté à bien ajuster les doses d'insuline !

Sans contredit, l'étiquetage nutritionnel des aliments est une bonne chose pour les personnes diabétiques. Mais, comme d'autres bonnes choses, c'est parfois aussi un peu compliqué. Il est donc important de bien comprendre de quoi il s'agit, pour en tirer le meilleur parti possible.

D'où vient l'obligation d'étiqueter les aliments?

La qualité de l'alimentation est un sujet de préoccupation pour les personnes diabétiques, mais également pour une grande partie de la population en général. Ceci est vrai aussi bien pour la valeur nutritive des aliments que pour leur salubrité et leur innocuité. On aime savoir d'où viennent les produits qu'on achète, tout autant que ce qu'ils contiennent.

Cette préoccupation est légitime car, que ce soit à un niveau ou à un autre de la chaîne alimentaire, des milliers de personnes participent à l'approvisionnement de la population. Pour assurer la meilleure qualité possible des aliments qu'ils produisent, qu'ils transforment, qu'ils distribuent ou qu'ils vendent, tous ces intervenants doivent se soumettre à divers contrôles, lois et règlements. La réglementation vise particulièrement à protéger la santé des consommateurs, à contrôler la qualité des produits ainsi qu'à régir les activités du secteur agroalimentaire.

Au Canada, le gouvernement fédéral joue un rôle prépondérant en matière de santé et d'innocuité alimentaire. Les responsabilités sont réparties entre le ministre de la Santé, qui veille à l'application de la Loi sur les aliments et drogues qui a trait à la santé publique, à la salubrité et à la nutrition, et l'Agence canadienne d'inspection des aliments (ACIA), qui assure la salubrité des aliments, la protection du consommateur et l'accès au marché. Elle veille entre autres à l'application des lois portant sur l'inspection, ainsi qu'à la Loi sur l'emballage et l'étiquetage des produits de consommation.

Saviez-vous que l'ACIA est responsable des rappels d'aliments et des alertes à l'allergie? Si par exemple un produit alimentaire est susceptible d'être contaminé par une bactérie pathogène, l'ACIA émet par la voie des médias un *avertissement de danger pour la santé* et avise la population de ne pas consommer ce produit. Si par ailleurs un aliment contient un ingrédient non déclaré sur l'étiquette, l'ACIA émet cette fois un avis public d'*alerte à l'allergie*, pour informer les personnes allergiques du risque qu'elles pourraient courir à consommer cet aliment.

L'étiquetage des aliments est donc une obligation légale au Canada. Les buts de l'étiquetage sont multiples : fournir des renseignements de base sur le produit alimentaire, servir d'outil pour la commercialisation, la promotion et la concurrence, mais surtout, en ce qui nous intéresse, fournir des renseignements sur les aspects nutritionnels du produit.

Sur l'étiquette d'un aliment, le consommateur dispose de trois sources d'information nutritionnelle : la liste des ingrédients, les allégations nutritionnelles et le tableau de valeur nutritive.

La liste des ingrédients

Nous avons déjà mentionné au chapitre 4 qu'une des exigences fondamentales de l'étiquetage des aliments préemballés est la déclaration de la quantité nette, en unités métriques. Absolument tous les fabricants doivent se conformer à cette règle. Et dès qu'un aliment préemballé contient plus d'un ingrédient, il est aussi exigé que son étiquette comporte une liste des ingrédients.

La liste doit comprendre une déclaration des ingrédients dans l'ordre décroissant de leur proportion selon leur poids dans l'aliment. Toutefois, les ingrédients suivants peuvent se trouver dans n'importe quel ordre à la fin de la liste des ingrédients : les épices, les assaisonnements et les fines herbes (sauf le sel), les arômes naturels et artificiels, les rehausseurs de saveur, les additifs alimentaires ainsi que les vitamines et les minéraux nutritifs.

Pour une personne diabétique, la liste des ingrédients a-t-elle une importance particulière ? À certains égards, oui.

Par exemple, une personne qui suit un **plan d'alimentation fondé sur les échanges** (ou les équivalents) peut parfois avoir de la difficulté à évaluer le nombre d'échanges contenus dans un mets préemballé. La liste des ingrédients peut lui apporter un certain éclairage.

Philippe a huit ans, il est diabétique de type 1 et, comme ses parents travaillent à l'extérieur tous les deux, il apporte son lunch et mange à l'école le midi. Son plan d'alimentation prévoit qu'au dîner il consomme entre autres deux échanges de viandes et substituts.

Philippe a demandé à ses parents qu'ils lui achètent des miniraviolis à la viande pour ses lunchs, car plusieurs de ses amis en apportent et lui aussi aime beaucoup les pâtes. À l'épicerie, son père consulte la liste des ingrédients d'une boîte de miniraviolis. Lorsqu'il réalise que la viande n'est pas parmi les premiers ingrédients, il se dit qu'une portion ne renferme sûrement pas deux échanges de viandes et substituts. S'il en met dans le lunch de Philippe, il ne manquera pas d'y ajouter aussi une tranche de fromage pour bien compléter son repas.

Et pour ceux qui appliquent plutôt la **méthode du calcul des glucides**? Sur l'étiquette d'un produit préemballé, ils ont plutôt tendance à regarder d'abord et avant tout le **tableau de valeur nutritive**, qui les renseigne sur le nombre de grammes de glucides. Mais ils ne devraient pas pour autant ignorer la liste des ingrédients, qui peut les aider à faire des choix plus nutritifs.

Gaston est dans l'allée des jus et boissons au supermarché. Il veut acheter des petites boîtes à boire pour les collations qu'il prend au bureau. Il hésite entre une boisson aux jus de 5 agrumes et un jus Passion des tropiques. Selon les tableaux de valeur nutritive, pour des portions identiques, l'une et l'autre marque contiennent 23 grammes de glucides. Mais, en regardant les listes des ingrédients, Gaston voit que la première commence par: «Eau, sucre et/ou glucose-fructose», alors que sur la seconde on lit d'abord: «Jus de fruits, purée de mangue…» Sans hésiter, il choisit cette dernière marque.

Comme nous l'avons dit un peu plus haut, les ingrédients doivent être déclarés en ordre décroissant. C'est ainsi que procèdent la majorité des fabricants, pour la plupart de leurs produits. Toutefois, lorsqu'il s'agit de mets composés, certains fabricants choisissent plutôt de profiter d'une subtilité du règlement, qui permet de déclarer en ordre décroissant non pas les ingrédients eux-mêmes, mais plutôt les constituants, ou «ingrédients des ingrédients».

Ainsi, lorsqu'on consulte les listes d'ingrédients dans le rayon des pâtés au poulet surgelés, il faut ouvrir l'œil, et le bon!

Comme chacun sait, un pâté au poulet est généralement constitué de deux croûtes de pâte, et d'un remplissage fait de poulet, de sauce et de petits légumes. Dans la plupart des pâtés au poulet commerciaux, la pâte représente au moins la moitié du poids total du pâté. Dans beaucoup de cas, la viande de poulet elle-même représente moins du cinquième du produit. Pourtant, bien des fabricants font en sorte que le poulet figure en tête de liste des ingrédients. Comment est-ce possible? C'est qu'ils présentent la liste en trois parties: la garniture, la sauce et la pâte. Sous «garniture», ils déclarent d'abord le poulet, puis les légumes en ordre décroissant. Sous «sauce», ils déclarent le bouillon de poulet, l'amidon, le gras, etc. Enfin, sous «pâte», ils indiquent la farine enrichie, le shortening, etc. Bien que la farine soit en réalité l'ingrédient le plus important du pâté, elle n'apparaît que très loin dans la liste…

Heureusement, d'autres fabricants sont plus «transparents» (ou tout simplement plus honnêtes!) dans leur déclaration d'ingrédients. À votre prochaine visite à l'épicerie, jouez à Sherlock Holmes et amusez-vous à démasquer les imposteurs!

Un dernier mot sur la liste des ingrédients en ordre décroissant: cette exigence ne concerne que les produits qui sont, au sens de la loi, des «aliments», et non ceux qui sont des «drogues» (ou médicaments). La distinction peut sembler claire, mais en réalité elle n'est pas toujours si évidente. Par exemple, il n'est pas permis présentement au Canada d'enrichir des produits de confiserie en éléments nutritifs, à moins que le fabricant ait obtenu un DIN (*drug identification number*) pour son produit. Sur l'emballage de celui-ci, il déclarera deux listes: les ingrédients médicinaux, et les ingrédients non médicinaux. Et ces listes seront dressées par ordre alphabétique. Donc, si vous achetez de petites pastilles ou des pâtes à saveur de fruits qu'on présente comme des « suppléments alimentaires, source de vitamines et minéraux » et qu'en très petits caractères vous pouvez voir que l'emballage porte un DIN, le sucre sera certainement très loin dans la liste des ingrédients. Ce n'est pas parce qu'il y en a peu, c'est plutôt parce que la lettre « s » figure assez bas dans l'alphabet !

Les allégations nutritionnelles

Pour se démarquer de la concurrence, les fabricants aiment bien prêter de nombreuses qualités à leurs produits. Et si on les laissait s'exprimer sans limites, les emballages seraient souvent trop petits pour contenir leurs éloges enthousiastes !

Heureusement, la loi est assez stricte en ce qui concerne l'utilisation de termes tels que « nouveau », « authentique », « pur à 100 % », « naturel », etc. Elle l'est tout autant en ce qui a trait aux allégations portant sur la valeur nutritive des produits.

Concernant les teneurs en glucides et en sucres, voici en résumé ce que signifient les allégations permises, selon le *Guide d'étiquetage et de publicité sur les aliments 2003* de l'ACIA.

- **Sans sucres** (ou : *Sans sucre, Ne contient pas de sucre*) : l'aliment contient moins de 0,5 gramme de sucres et moins de 5 calories par portion déterminée.

- **Teneur réduite en sucres** (ou : *Moins de sucre, Moins sucré*) : la teneur en sucres de l'aliment, après transformation, formulation, reformulation ou autre modification, est inférieure d'au moins 25 % à celle d'un aliment de référence similaire.

- **Non sucré** : l'aliment ne contient aucun sucre ajouté, aucun ingrédient additionné de sucre, ni aucun ingrédient contenant des sucres ayant un pouvoir édulcorant. Également, l'aliment ne renferme pas d'édulcorant non nutritif tel que l'aspartame ou le sucralose.

Le grand message à retenir ici : « sans sucre » et « non sucré » ne sont pas des synonymes !

Ce serait tellement simple si tout le monde le savait!

Même votre voisine qui s'offre gentiment pour surveiller votre enfant diabétique pendant que vous devez passer au centre d'achats cherche à vous rassurer: «Inquiétez-vous pas! S'il a soif, j'ai du jus sans sucre dans mon frigidaire!»

Chère voisine, du jus non sucré, cela existe, mais du jus sans sucre, il n'y en a pas! Tous les jus sont faits avec des fruits, et tous les fruits contiennent des sucres! Par contre, si vous lui offrez une boisson gazeuse diète, là ce serait vraiment non sucré ET sans sucre!

Par ailleurs, il y a également certaines allégations relatives à la teneur en fibres alimentaires qui sont permises.

- *Source de fibres* (ou: *Contient des fibres*): l'aliment contient au moins 2 grammes de fibres par portion déterminée.

- *Source élevée de fibres* (ou: *Teneur élevée en fibres*): l'aliment contient au moins 4 grammes de fibres par portion déterminée.

- *Source très élevée de fibres* (ou: *Teneur très élevée en fibres, Riche en fibres*): l'aliment contient au moins 6 grammes de fibres par portion déterminée.

- *Plus de fibres* (ou: *Teneur plus élevée en fibres*): l'aliment contient au moins 2 grammes de fibres par portion déterminée, et au moins 25% plus de fibres qu'un aliment de référence similaire.

L'allégation «aliment pour diabétiques», est-ce permis?

Aucun produit ne peut être présenté comme étant un «aliment pour diabétiques» ou encore un aliment «pour régime diabétique». Ces allégations sont interdites par la loi.

Parfois, certains produits peuvent être vendus comme étant des aliments «diététiques», ou «diète», ou encore des «aliments pour usage diététique spécial». En ce qui a trait à la teneur en glucides et en sucres, seuls les aliments conformes aux exigences relatives à l'allégation «sans sucre» peuvent être désignés aliments «diète». C'est le cas par exemple des boissons gazeuses sans sucre, édulcorées à l'aspartame, à l'acésulfame-potassium ou encore au sucralose.

> Alors, si votre voisine serviable prétend qu'on lui a vendu «de la confiture sans sucre pour diabétiques», ne la croyez surtout pas!

Y a-t-il d'autres allégations à rechercher sur les étiquettes?

Dans les règlements antérieurs à 2003, d'autres allégations relatives aux glucides et au sucre étaient permises; par exemple on pouvait dire d'un aliment qui contenait moins de 2 grammes de glucides disponibles par portion qu'il était à «faible teneur en glucides». Maintenant, une telle allégation **ne peut plus** se retrouver sur l'étiquette d'un aliment. Désormais, c'est uniquement dans le tableau de valeur nutritive qu'il est question du nombre de grammes de glucides.

Le tableau de valeur nutritive

Avant 2003, pour la plupart des aliments préemballés, les fabricants avaient le choix: s'ils le désiraient (mais c'était facultatif), ils pouvaient apposer sur l'étiquette de leurs produits un tableau de valeur nutritive. Ce tableau bilingue était intitulé «Nutrition Information / Information nutritionnelle». On pouvait y retrouver quelques éléments de la valeur nutritive du produit, dont au moins les teneurs en énergie, protéines, matières grasses et glucides.

Mais un nouveau règlement a été promulgué au Canada en décembre 2002, en vertu duquel l'étiquetage nutritionnel devenait **obligatoire** pour les produits alimentaires préemballés. Dès lors, les fabricants disposaient en général d'un délai de trois ans pour réviser les étiquettes de leurs produits, et de cinq ans si l'entreprise avait un chiffre d'affaires annuel inférieur à un million de dollars.

Donc, à compter de décembre 2005, la presque totalité des produits alimentaires vendus sur le marché canadien porteront sur leur étiquette un tableau désormais intitulé «Valeur nutritive/Nutrition Facts», indiquant leur teneur en calories et en 13 éléments nutritifs. Les dernières petites entreprises à se conformer au règlement devront apposer leurs tableaux de valeur nutritive au plus tard en décembre 2007.

Non, les députés du Parlement fédéral ne se sont pas simplement levés un beau matin de décembre 2002 en décidant qu'il était temps que ça change!

Au contraire, le nouveau règlement rendant l'étiquetage nutritionnel obligatoire a été le résultat de plusieurs années de travail de sensibilisation. De la part de qui? Notamment de regroupements de consommateurs, de nutritionnistes, mais aussi d'associations représentant les intérêts des personnes diabétiques. Tous réclamaient des renseignements uniformisés sur les teneurs en éléments nutritifs des aliments vendus au détail. De leur côté, les représentants de l'industrie alimentaire étaient généralement moins chauds à cette idée... Beaucoup évoquaient les analyses supplémentaires, les coûts additionnels, etc. (entre nous, certains ne devaient pas être enchantés non plus à l'idée de devoir déclarer les quantités d'acides gras trans, de cholestérol et de sodium contenues dans leurs savoureux produits!). Mais finalement le projet de modification du règlement a été adopté, et c'est bien tant mieux pour nous!

Plusieurs informations se retrouvent maintenant dans la tableau de valeur nutritive. Voyons comment les décoder correctement.

Les éléments du tableau

Pour que le tableau de valeur nutritive soit facile à lire, il doit avoir la même apparence sur la plupart des produits, et les mêmes nutriments doivent toujours y être présentés dans le même ordre. Les tableaux des produits A et B reproduits ici satisfont aux exigences de présentation.

PRODUIT A :

Valeur nutritive
par 125 mL (87 g)

Teneur	% valeur quotidienne
Calories 80	
Lipides 0,5 g	**1 %**
saturés 0 g + trans 0 g	**0 %**
Cholestérol 0 mg	
Sodium 0 mg	**0 %**
Glucides 18 g	**6 %**
Fibres 2 g	**8 %**
Sucres 2 g	
Protéines 3 g	
Vitamine A 2% Vitamine C 10%	
Calcium 0% Fer 2%	

PRODUIT B :

Valeur nutritive
pour 1 tasse (264 g)

Quantité	% valeur quotidienne
Calories 260	
Lipides 13 g	**20 %**
saturés 3 g + trans 2 g	**25 %**
Cholestérol 30 mg	
Sodium 660 mg	**28 %**
Glucides 31 g	**10 %**
Fibres 0 g	**0 %**
Sucres 5 g	
Protéines 5 g	
Vitamine A 4% Vitamine C 2%	
Calcium 15% Fer 4%	

La partie du haut

Le titre en français du tableau est toujours le même : **Valeur nutritive**. Cependant, les éléments déclarés correspondent à une **quantité déterminée d'aliment**, qui varie selon le produit. Dans la plupart des cas, cette quantité correspond à la taille d'une portion habituellement consommée, et mesurable à l'œil nu. Pour le produit A, la quantité est de 125 ml. Pour le produit B, elle est d'une tasse.

Dans le cas des produits emballés en portions individuelles, la quantité déterminée doit être celle du contenant.

Dans le cas d'un aliment habituellement consommé en morceaux (ex. : un gâteau, une pizza), la quantité déterminée peut être une fraction, par exemple ¼ ou ⅙.

Mais, dans tous ces cas, la quantité déclarée doit aussi être exprimée en unités métriques (g ou ml). Pour le produit A, on nous indique que 125 ml correspond à 87 grammes, et dans le produit B, une tasse équivaut à 264 grammes.

La partie centrale

La deuxième partie du tableau concerne les déclarations de l'énergie, des macronutriments, du cholestérol et du sodium. Elles sont présentées sous deux colonnes : la **Teneur** (ou **Quantité**), et le **% valeur quotidienne**.

Le fabricant est tenu de déclarer les quantités dans un ordre préétabli, et en respectant certains facteurs d'arrondissement.

Les **Calories** sont déclarées à l'unité près si la portion contient moins de 5 calories. Si elle en contient entre 5 et 50, on indique le plus proche multiple de 5 calories (ex. : 15, 20, 25). Si la portion contient plus de 50 calories, on indique le plus proche multiple de 10 (ex. : 80 pour le produit A ; 260 pour le produit B).

Les **lipides** représentent la quantité totale contenue dans la portion déterminée. Ils incluent les gras **saturés** et les gras **trans**, qui doivent aussi être obligatoirement déclarés, immédiatement sous les lipides et un peu en retrait. Dans les trois cas (lipides, saturés, trans), si la quantité est inférieure à 0,5 g, on indique 0 g ou le plus proche multiple de 0,1 g, selon le cas. Si la quantité est entre 0,5 et 5 g, on indique le plus proche multiple de 0,5 g. Si la quantité est de plus de 5 g, on indique le plus proche multiple de 1 g.

Le **cholestérol** est déclaré en milligrammes (mg), tout comme le **sodium**. Si le produit est « sans cholestérol », la teneur déclarée est de 0 mg. Dans les autres cas, on indique le plus proche multiple de 5 mg. Par ailleurs, si le produit est « sans sodium » ou « sans sel », on déclare 0 mg de sodium. Entre 5 mg et 140 mg, on déclare le plus proche multiple de 5 mg. Si le produit contient plus de 140 mg de sodium, on déclare le plus proche multiple de 10, par exemple 660 mg pour le produit B.

Nous voici maintenant à nos fameux glucides ! Tout d'abord, on doit en déclarer la quantité totale (**glucides**), en grammes. On doit aussi obligatoirement déclarer les **fibres** et les **sucres**, immédiatement sous les glucides totaux et un peu en retrait. Dans les trois cas (glucides, fibres, sucres), si la quantité dans l'aliment est inférieure à 0,5 g, on déclare 0 g.

Si la quantité est égale ou supérieure à 0,5 g, on indique le plus proche multiple de 1 g.

Il faut bien comprendre que les fibres et les sucres sont des constituants des glucides totaux, et que leur quantité est incluse dans la quantité totale de glucides. Par exemple, le produit A contient 18 grammes de glucides par portion, **dont** 2 grammes de fibres et 2 grammes de sucres. Si notre plan d'alimentation est basé sur le calcul des glucides, on devra calculer pour une portion du produit A : 16 grammes de glucides (soit 18 g de glucides totaux moins 2 g de fibres). Pour le produit B, une portion contient 31 grammes, **dont** 5 grammes de sucres. Pour le calcul des glucides, avec ce produit qui ne contient pas de fibres, on doit retenir les glucides totaux, soit 31 grammes par portion.

Tiens, c'est bizarre ! J'ai acheté du cocktail de légumes, et le tableau de valeur nutritive dit qu'il contient 5 grammes de sucres par portion. Pourtant, je ne retrouve pas de sucre dans la liste des ingrédients…

Bonne remarque ! En fait, dans le tableau, on déclare **les** sucres (au pluriel). Cela peut comprendre du sucre (ou sucrose) ajouté à un produit, mais aussi tous les sucres naturellement présents, qui peuvent être du glucose, du fructose, du sucrose, du galactose, du maltose ou du lactose ! Certains de ces sucres sont naturellement présents dans les légumes dont on se sert pour faire le cocktail. Dans cet exemple, il n'y avait effectivement pas de sucres ajoutés. Mais dans d'autres produits il peut y en avoir. Si on repère dans la liste un ingrédient tel que le sucrose, le glucose-fructose, le sirop de maïs, ou tout autre produit sucrant, c'est certain qu'il y aura des sucres déclarés dans le tableau de valeur nutritive !

Enfin, les **protéines** sont les derniers macronutriments déclarés dans le tableau de valeur nutritive. Comme pour les lipides et les glucides, les quantités de protéines sont indiquées en grammes. Si la portion déterminée contient moins de 0,5 g, on arrondit au plus proche multiple de 0,1 g. Si la quantité est égale ou supérieure à 0,5 g, on indique le plus proche multiple de 1 g.

Voilà donc pour la première colonne de la partie centrale. Mais qu'en est-il de la deuxième, intitulée « % valeur quotidienne » ?

Cette valeur sert en fait à vérifier d'un coup d'œil, pour certains éléments nutritifs, si la quantité spécifiée de l'aliment renferme beaucoup ou peu du nutriment en question.

Dans la partie centrale du tableau, six éléments sont visés par cette information : les lipides totaux, la somme des gras saturés et des gras trans, le cholestérol, le sodium, les glucides totaux, les fibres.

Pour chacun de ces éléments, on a défini une valeur quotidienne de référence basée sur l'apport énergétique moyen d'un adulte, qui est d'environ 2000 calories par jour.

Ainsi, on considère généralement que les lipides devraient représenter au maximum 30 % des calories consommées. Trente pour cent de 2000 calories, c'est 600 calories par jour pour les lipides, ou encore à peu près 65 g (600 calories ÷ 9 calories / g de lipides). La valeur quotidienne de référence des lipides totaux est donc de **65 grammes**.

Sur ces 65 grammes, les experts en nutrition considèrent que moins du tiers devrait être composé de gras trans et de gras saturés, qu'on qualifie souvent de « mauvais gras » dans l'alimentation. La valeur quotidienne de référence de la somme des trans et des saturés a, de ce fait, été fixée à **20 grammes**.

On peut maintenant comprendre les chiffres de « % valeur quotidienne » pour le produit B, par exemple. En effet, une portion de ce produit renferme 13 g de lipides ; c'est donc 20 % de la valeur quotidienne de référence (13 grammes sur 65 grammes). Pour les gras trans et saturés, qui totalisent 5 grammes dans ce produit, c'est 25 % de la valeur quotidienne de référence (5 grammes sur 20 grammes).

Pour les glucides totaux, la valeur quotidienne de référence a été fixée à **300 grammes**. Pour les fibres, c'est **25 grammes**. Ainsi, une portion du produit A fournit 6 % de la valeur quotidienne des glucides (18 g sur 300 g) et 8 % de la valeur quotidienne des fibres (2 g sur 25 g).

Enfin, les experts considèrent qu'on ne devrait pas consommer plus de **300 mg** de cholestérol et plus de **2400 mg** de sodium par jour, et c'est ce qu'on a retenu comme valeurs quotidiennes de référence. À lui seul, le produit B contient déjà 28 % de la valeur quotidienne de sodium, soit 660 mg des 2400 mg.

La partie du bas

Dans la dernière partie du tableau de valeur nutritive, les fabricants doivent indiquer pour quatre éléments nutritifs additionnels les pourcentages des valeurs quotidiennes de référence fournis par la portion déterminée de l'aliment. Ces quatre éléments nutritifs sont la vitamine A, la vitamine C, le calcium et le fer.

À titre informatif, mentionnons que leurs valeurs quotidiennes de référence respectives sont de 1000 équivalents de rétinol pour la vitamine A, de 60 mg pour la vitamine C, de 1100 mg pour le calcium et de 14 mg pour le fer. Ces valeurs correspondent aux apports nutritionnels recommandés par les experts en nutrition.

Peut-on retrouver d'autres éléments dans le tableau de valeur nutritive ?

Les calories et les 13 éléments nutritifs dont nous avons parlé représentent la liste de base obligatoire. Dans certaines circonstances, on peut retrouver des éléments nutritifs additionnels.

Par exemple, les fabricants **peuvent** inclure dans le tableau l'amidon, un certain nombre de vitamines et minéraux additionnels ou certains types de lipides appartenant à une liste préétablie. Des déclarations relatives à d'autres composés alimentaires sont permises **à l'extérieur** du tableau (par exemple les isoflavones ou le lycopène).

Certains des glucides qui nous intéressent particulièrement font l'objet d'articles spécifiques dans le règlement sur l'étiquetage. Ainsi, il est stipulé que « l'étiquette d'un aliment qui contient des itols, plus précisément du lactitol, du maltitol, du sirop de maltitol, du mannitol, du sorbitol, du sirop de sorbitol, du xylitol, des hydrolysats d'amidon hydrogéné et l'itol de marque Isomalt, doit porter la teneur en chacune de ces substances dans le tableau de la valeur nutritive exprimée en grammes par portion déterminée».

On peut aussi lire que «l'étiquette d'un aliment qui contient du polydextrose doit en indiquer la teneur en grammes par portion déterminée. Ce renseignement peut être indiqué n'importe où sur l'étiquette, sauf dans le tableau de la valeur nutritive, à proximité de la liste des ingrédients».

Tout pour nous simplifier la vie, quoi!

Rappelons-nous que, lorsqu'on fait le calcul des glucides, on doit soustraire de la valeur des glucides totaux toute la quantité déclarée de polydextrose, et la moitié de la quantité déclarée en sucres-alcools (itols).

Par exemple, si on achète une barre protéinée qui contient du polydextrose et qui est édulcorée avec du maltitol et du sorbitol, il faudra : 1) repérer la quantité de glucides totaux (et de fibres, le cas échéant) dans le tableau de valeur nutritive ; 2) repérer les quantités de maltitol et de sorbitol dans le tableau ; et 3) repérer la quantité de polydextrose à l'extérieur du tableau. Ensuite, il faudra faire le calcul suivant : Glucides totaux (g) – fibres (g) – $1/2$ maltitol (g) – $1/2$ sorbitol (g) – polydextrose (g). Si les quantités repérées sont 27 g de glucides totaux, 3 g de fibres, 6 g de maltitol, 2 g de sorbitol et 5 g de polydextrose, on devrait arriver pour cette barre protéinée à un résultat final de 15 g de glucides «glycémiques», c'est-à-dire 15 grammes de glucides qui auront une influence sur la glycémie.

La fiabilité de l'étiquetage nutritionnel

De façon générale, l'étiquetage nutritionnel permet aux consommateurs de faire des choix plus éclairés en matière d'alimentation.

Comme les autres, les personnes diabétiques profitent des multiples renseignements qu'on peut maintenant retrouver sur l'emballage des produits alimentaires. Mais, pour plusieurs diabétiques, l'étiquetage nutritionnel n'est pas uniquement du matériel informatif, c'est aussi un outil crucial pour la détermination de leurs doses quotidiennes d'insuline.

En effet, lorsqu'on applique le niveau avancé du calcul des glucides, on se fie beaucoup aux valeurs déclarées sur les étiquettes des aliments. A-t-on raison de le faire? Les données nutritionnelles sont-elles toujours exactes?

Heureusement, ces questions ne préoccupent pas que les personnes diabétiques, elles préoccupent aussi le gouvernement! Il existe donc des normes et des tests pour s'assurer de la conformité de l'étiquetage nutritionnel des produits alimentaires.

Cependant, comme la perfection n'est pas de ce monde, il faut comprendre et admettre qu'aucun règlement ne peut assurer ou même exiger une précision absolue. Les fabricants sont donc tenus de déclarer les bonnes valeurs d'éléments nutritifs, mais à l'intérieur de marges de tolérance préétablies. Ces marges peuvent différer selon les nutriments.

Pourquoi n'exige-t-on pas une précision de 100 %?

Bien qu'on ait parfois l'impression de manger du «chimique» ou du «synthétique», nos aliments sont pour l'immense majorité composés de produits naturels, d'origine végétale ou animale. Or, chaque produit est élevé ou cultivé dans des conditions qui peuvent affecter sa teneur en éléments nutritifs.

> Par exemple, des fraises produites à l'île d'Orléans lors d'un été chaud et sec n'auront pas exactement la même teneur en sucres et en vitamines que des fraises produites en Estrie durant un été froid et pluvieux. De la même façon, la viande d'un poulet nourri de maïs et élevé à l'extérieur n'aura pas tout à fait la même teneur en lipides que la viande d'un poulet nourri de moulée commerciale dans un poulailler industriel.

Lorsqu'ils transforment les aliments de base en produits alimentaires, les fabricants ne partent pas toujours avec des ingrédients absolument identiques, et ils ne peuvent pas non plus obtenir exactement les mêmes résultats quant aux teneurs en éléments nutritifs. La variabilité des produits de base est donc un des facteurs de variation.

Un second facteur est la variabilité des méthodes de laboratoire. Doser les fibres alimentaires, par exemple, cela peut paraître très simple. Mais en réalité c'est un processus long et complexe, et les résultats peuvent varier selon la méthode d'analyse utilisée.

Malgré tout, l'industrie alimentaire a le devoir de veiller à ce que les valeurs indiquées sur l'étiquette reflètent avec exactitude la teneur en éléments nutritifs du produit. Les fabricants doivent donc faire les vérifications nécessaires sur tous les lots qu'ils produisent.

Comment la conformité des valeurs déclarées est vérifiée

Le test de conformité suggéré aux fabricants est le même qu'utilise l'ACIA lors de ses inspections de contrôle pour évaluer l'exactitude des données nutritionnelles.

Pour faire le test, il faut prélever au hasard d'un lot 12 portions individuelles, qu'on place ensuite en groupes de quatre, de façon à obtenir trois sous-échantillons. Chacun de ces trois sous-échantillons est analysé. La teneur obtenue pour chacun ne doit pas s'éloigner de plus de 50 % de la valeur déclarée sur l'étiquette. Ensuite, on calcule la moyenne des trois analyses. Cette valeur moyenne doit se situer à l'intérieur des limites minimale et maximale permises, selon les marges de tolérance.

Les marges de tolérance pour les glucides

Pour **les glucides et les fibres**, une marge de tolérance de 20 % s'applique à la valeur nutritive déclarée, en ce sens que la teneur moyenne mesurée dans les échantillons ne doit **pas être inférieure à 80 %** de la valeur déclarée sur l'étiquette, rajustée pour arrondissement. Pour **les sucres et les polyalcools**, une marge de tolérance de 20 % s'applique aussi à la valeur nutritive déclarée, mais cette fois en ce sens que la teneur moyenne mesurée dans les échantillons ne doit **pas être supérieure à 120 %** de la valeur déclarée sur l'étiquette, rajustée pour arrondissement.

Un exemple : on veut tester l'exactitude des données du tableau de valeur nutritive d'un pain aux raisins. Sur l'étiquette des sacs, on peut lire qu'une portion d'une tranche (45 g) contient 24 g de glucides, 3 g de fibres, 8 g de sucres. Sur un même lot de production, on prélèvera au hasard 12 tranches de différents pains. On fera trois échantillons de quatre tranches chacun. Une fois toutes les analyses faites et les moyennes calculées, il faudra que la valeur moyenne des glucides soit d'au moins 18,8 g (80 % de 23,5 g, qui est la valeur minimale pouvant être arrondie à 24 g), que la valeur moyenne des fibres soit d'au moins 2,0 g (80 % de 2,5 g, qui est la valeur minimale pouvant être arrondie à 3 g), et que la valeur moyenne des sucres soit d'au plus 10,1 g (120 % de 8,4, qui est la valeur maximale pouvant être arrondie à 8).

Faut-il s'alarmer ?

Évidemment, tout ceci n'est pas très rassurant de prime abord… Des variations de 20 % dans les glucides, ça peut avoir une influence sur l'action de l'insuline !

C'est vrai, c'est un facteur qu'il ne faut pas méconnaître. Cependant, on peut se rassurer en pensant que, de façon générale, nos repas contiennent plus qu'un aliment glucidique. Un matin au déjeuner, il serait très étonnant que les tableaux de valeur nutritive de la boîte de gruau, du lait et du jus d'orange sous-estiment les glucides exactement de la même façon, de 18 % par exemple ! Les probabilités sont plutôt que les surestimations de certains aliments pourront compenser pour les sous-estimations d'autres aliments.

Malgré tout, il faut demeurer attentif. Et si on a l'impression que les teneurs indiquées dans un tableau de valeur nutritive ne sont pas cohérentes avec les glycémies obtenues, il ne faut pas hésiter à changer de marque de produit !

Conclusion

Désormais, on sait à peu près tout ce qu'il faut savoir sur l'étiquetage nutritionnel des aliments. Comme on l'a vu, on peut retrouver une foule d'informations pertinentes sur les emballages, utiles autant pour faire les bons choix alimentaires que pour calculer les glucides.

Et on sait aussi que, même si l'État est exigeant et même si les fabricants sont généralement de bonne foi, il nous faut, en tant que consommateurs ayant des préoccupations particulières liées au diabète, rester vigilants dans la lecture des étiquettes.

Maintenant, le seul problème est que cela nous prendra encore plus de temps pour faire l'épicerie…

Bonne lecture quand même !

CHAPITRE 7

Comprendre et optimiser le rôle des constituants alimentaires

La nutrition est à la mode : il ne se passe pas une journée sans qu'une émission de radio, un reportage télévisé ou un article de journal nous rappelle les bienfaits ou les méfaits des aliments sur la santé. Pendant une semaine, on ne parle que des oméga 3. La semaine d'après, que des contaminants alimentaires. Puis on enchaîne sur les antioxydants. Ce n'est pas une obsession nationale, mais presque !

Les personnes diabétiques ne sont pas épargnées par ce raz-de-marée d'informations. Elles sont même souvent au cœur des multiples débats. Par exemple, elles entendent d'un côté qu'elles doivent diminuer le sucre, mais de l'autre que l'aspartame peut provoquer le cancer du cerveau ! Ou encore elles se font dire par certains que l'alimentation est amplement suffisante pour leur procurer toutes les vitamines dont elles ont besoin, mais par d'autres qu'un supplément de telle ou telle vitamine pourrait peut-être améliorer leur diabète, on ne sait jamais…

Car c'est aussi une partie du problème : les affirmations, les allégations et les recommandations qui fusent de toutes parts ne sont pas toujours fondées scientifiquement. Parfois, elles peuvent même causer plus de tort que de bien.

Ce chapitre ne prétend pas couvrir tous les nutriments, constituants et suppléments possibles et imaginables et leurs effets possibles sur le diabète. Il vise plutôt à faire un tour d'horizon des principaux constituants alimentaires autres que les glucides (dont nous avons déjà beaucoup parlé), et de la façon optimale pour les personnes diabétiques de type 1 de les intégrer à leur alimentation.

Les lipides

Parler des lipides ou des matières grasses, ce n'est pas tout à fait une nouveauté dans ce livre!

Mais jusqu'ici nous avons traité surtout de leur rôle dans le processus digestif. Nous avons notamment mentionné qu'en quantités importantes dans un repas les matières grasses pouvaient ralentir la digestion et l'absorption des glucides, retardant ainsi l'arrivée du glucose alimentaire dans le sang. Résultat : un moins bon synchronisme entre l'élévation de la glycémie et l'action de l'insuline rapide ou ultra-rapide, avec des risques accrus d'hypoglycémie après l'injection, et d'hyperglycémie quelques heures plus tard.

Outre cet effet à court terme, les lipides peuvent aussi avoir beaucoup d'autres effets, à moyen ou à long terme. Voyons cela d'un peu plus près.

Faut-il surtout surveiller la quantité ou la qualité des matières grasses?

Habituellement, le diabète de type 1 frappe tôt dans la vie. Les personnes atteintes sont en majorité des enfants, des adolescents ou de jeunes adultes. Et plus souvent qu'autrement ces personnes n'ont pas de problème de poids. Les diabétiques de type 1 se distinguent ainsi doublement des diabétiques de type 2 qui, de leur côté, sont habituellement diagnostiqués après la quarantaine et présentent souvent un important excès de poids.

Chez une personne diabétique de type 2 et obèse, il est clair que la surveillance des quantités de matières grasses consommées doit faire partie du plan d'alimentation. On s'en rappelle, les lipides sont les nutriments les plus denses en énergie. Gramme pour gramme, ils fournissent deux fois plus de calories que les protéines et les glucides.

Mais, chez une personne diabétique de type 1 de poids normal, faut-il s'inquiéter aussi des nombreuses calories qu'apportent avec elles les matières grasses? Sauf pour son effet sur la vitesse de digestion des glucides, la quantité de lipides revêt-elle une importance quelconque?

Le problème avec le diabète de type 1, surtout avec les injections multiples, c'est qu'il faut manger souvent. Et non seulement faut-il manger souvent, mais l'insuline peut aussi inciter à manger plus. C'est une hormone de mise en réserve (revoir au besoin le chapitre 1), dont l'un des effets est de stimuler l'appétit. La conséquence à moyen ou à long terme, c'est souvent l'accumulation de quelques kilos en plus...

Oui, mais je ne fais pas exprès ! On me dit de manger trois repas et trois collations par jour, j'écoute ! Et en plus je fais des hypoglycémies un jour sur deux, il faut bien que je me traite avec quelque chose qui contient des calories ! Et mon calcul des glucides, je le fais bien, je reste dans mes quantités allouées. Alors, quand j'ai faim (et ça m'arrive souvent !), je me tourne vers des aliments sans glucides : le fromage, le jambon, les charcuteries... Est-ce que c'est ça qui expliquerait mes nouvelles rondeurs ?

Un gain de poids a rarement une cause unique, mais s'il survient dans les premiers temps après le début de l'insulinothérapie c'est très probablement en raison de l'effet stimulateur de l'insuline sur l'appétit. Dans ces cas, il faut en discuter avec l'équipe de soins, qui reverra au besoin les doses d'insuline ou le plan d'alimentation.

Même avec des doses d'insuline bien ajustées aux besoins de leur organisme, les personnes diabétiques de type 1 devront rester vigilantes, car elles demeurent plus sujettes à la prise de poids. Donc, faire attention aux quantités de matières grasses, c'est important !

Mais n'oublions pas que le poids, c'est avant tout une question d'équilibre entre les entrées et les sorties ! Éviter un excès de calories provenant des lipides, c'est judicieux, mais en dépenser par l'activité physique, ça l'est tout autant. Marcher, bouger, sauter, cela aussi c'est chaque jour essentiel pour une personne diabétique !

Cela étant dit sur la quantité des matières grasses, parlons maintenant de leur qualité.

Les bons gras et les mauvais gras

On en a tous plus ou moins entendu parler : trop de cholestérol dans le sang, ce n'est pas bon pour la santé du cœur. Et il y a dans nos aliments de « bons gras » qui peuvent réduire le cholestérol sanguin, mais il y a aussi de « mauvais gras » qui peuvent le faire monter très haut !

Pour un jeune diabétique de type 1, cela a-t-il beaucoup d'importance ?

Rappelons-nous que, dans le traitement du diabète, nous cherchons à réduire les risques de complications à long terme. Et, cela a été démontré, les complications qui touchent les yeux, les reins, les nerfs ou les petits vaisseaux sanguins sont beaucoup moins fréquentes lorsque l'hémoglobine glycosilée est dans les valeurs cibles.

Mais il y a d'autres complications à redouter, qu'on peut moins directement prévenir par un bon contrôle de la glycémie. Il s'agit des atteintes aux gros vaisseaux sanguins du cœur ou du cerveau. Malheureusement, à partir d'un certain âge, les personnes diabétiques, de type 1 comme de type 2, sont plus à risque de connaître des accidents cardiovasculaires ou cérébrovasculaires que le reste de la population.

Évidemment, l'industrie pharmaceutique propose chaque année de meilleurs médicaments pour contrôler les lipides sanguins et diminuer les risques de maladies vasculaires. Mais on peut aussi s'aider de façon importante en axant nos choix alimentaires sur les bons gras, et en évitant autant que possible les mauvais.

Mais d'abord, un brin de chimie alimentaire.

Dans les aliments, les principaux lipides sont les acides gras et le cholestérol. Les acides gras sont présents en grammes, et le cholestérol en milligrammes.

Dans chaque acide gras, on retrouve un longue chaîne d'atomes de carbone. Ces atomes sont reliés l'un à l'autre par des liens chimiques qui peuvent être simples (–) ou doubles (=).

Il y a trois différentes sortes d'acides gras : 1) les acides gras **saturés**, qui ne comportent **que des liaisons simples**, 2) les acides gras **monoinsaturés**, qui comportent plusieurs liaisons simples et **une liaison double**, et 3) les acides gras **polyinsaturés** qui comportent **au moins deux liaisons doubles**.

À la température de la pièce, les acides gras saturés sont à l'état solide, alors que les acides gras monoinsaturés et polyinsaturés sont à l'état liquide.

Dans toutes les matières grasses alimentaires, on retrouve les trois types d'acides gras. Cependant, les proportions des trois types ne sont pas les mêmes dans tous les aliments.

Qu'est-ce qui fait partie des bons gras ?

Les acides gras qui sont les plus favorables à la santé des artères sont les **acides gras monoinsaturés**, suivis des **acides gras polyinsaturés**.

Ces acides gras se retrouvent en proportion élevée dans les huiles d'origine végétale, ou dans les produits alimentaires fabriqués à partir de ces huiles.

Les acides gras monoinsaturés sont particulièrement présents dans l'huile d'olive et dans l'huile de canola.

Quant aux acides gras polyinsaturés, il y en a beaucoup dans les huiles de tournesol, d'arachide, de soya, de maïs et de carthame.

Il y a une trentaine d'années, on a commencé à s'intéresser à l'alimentation «méditerranéenne», qui semblait associée à un risque beaucoup plus faible de maladies cardiovasculaires. Mais qu'est-ce qui pouvait bien l'expliquer?

En fait, l'alimentation traditionnelle des pays du bassin méditerranéen reposait beaucoup sur l'huile d'olive. Dans les pays où le climat n'était pas propice à la culture des oliviers, on dépendait plus des matières grasses d'origine animale, le beurre par exemple. L'huile d'olive étant la source par excellence des acides gras monoinsaturés, il ne fallait pas chercher plus loin la clé du mystère!

Parmi les «bons gras», on retrouve aussi les fameux **acides gras oméga 3**. Il s'agit d'un type particulier d'acides gras polyinsaturés, dans lesquels les doubles liaisons sont situées à des endroits bien précis de la chaîne d'atomes de carbone. Outre leur effet sur le cholestérol sanguin, les oméga 3 ont beaucoup d'autres effets bénéfiques qui contribuent à maintenir le corps humain en bonne santé.

Les oméga 3 se retrouvent particulièrement dans les huiles d'animaux marins, entre autres dans les poissons gras comme le saumon, le maquereau ou le hareng. Mais on en retrouve aussi dans certaines huiles végétales (notamment les huiles de lin, de canola, de noix, de germe de blé et de soya), ainsi que dans les noix et les graines.

Récemment, la recommandation de consommer fréquemment du poisson gras a été remise en question, alors que les résultats d'études effectuées sur les saumons d'élevage ont été publiés. Il y avait une concentration plus élevée que prévu de contaminants dans ces poissons, ce qui pourrait éventuellement être lié à un risque accru de cancer.

Faut-il alors cesser de consommer du poisson? La plupart des experts croient plutôt que les bénéfices sont plus importants que les risques, et recommandent encore de consommer du poisson au moins deux fois par semaine en alternant les espèces grasses et non grasses, saumon compris. Et en enlevant la peau des saumons et des autres poissons gras, on réduirait fortement le taux de contaminants, qui ont tendance à s'y concentrer.

La bonne solution pour les personnes diabétiques, ça ne serait pas plutôt un supplément d'oméga 3 ? On en retrouve maintenant partout, dans les pharmacies comme dans les grandes surfaces !

Il faut être prudent : les oméga 3 ont des effets biologiques puissants, et des doses importantes ne conviennent pas à tous. Ils peuvent par exemple interagir avec certains médicaments. Mieux vaut donc demander un avis médical avant de s'«autosupplémenter» en oméga 3. Et si on recherche une source autre que le poisson, les œufs oméga 3 peuvent aussi être une option intéressante, tout comme les noix et les graines, d'ailleurs !

Et les mauvais gras ?

Quand on pense «mauvais gras», le **cholestérol alimentaire** nous vient tout de suite en tête !

Il faut cependant nuancer : bien que la quantité de cholestérol alimentaire qu'on mange puisse avoir un effet sur notre cholestérol sanguin, c'est loin d'être le seul facteur. En effet, notre corps produit aussi son propre cholestérol. Et l'accumulation de cholestérol dans les artères est liée surtout à la présence dans l'alimentation de trop grandes quantités d'**acides gras saturés** et de **gras trans**.

Le cholestérol alimentaire se retrouve seulement dans les aliments d'origine animale, par exemple le beurre, la partie grasse de la viande, le saindoux. Les matières grasses animales sont également les sources les plus importantes d'acides gras saturés dans l'alimentation. Cependant, quelques huiles végétales dites «tropicales» (huile de palme, beurre de cacao, huile de palmiste, huile de coco) contiennent aussi de fortes proportions d'acides gras saturés.

Quant aux gras trans, on les retrouve très peu dans la nature. Ils sont plutôt un sous-produit d'un procédé industriel appelé hydrogénation des huiles. Ce procédé vise à transformer les huiles végétales liquides en matières grasses solides. C'est ainsi par exemple qu'on fait du shortening un produit à ne pas rechercher dans notre alimentation !

En novembre 2004, la Chambre des communes à Ottawa déclarait la guerre au gras trans ! Elle adoptait une résolution visant à les éliminer totalement des produits alimentaires, cela dans un délai d'un an. Une partie de l'industrie alimentaire avait déjà pris le virage, et éliminé de ses produits tous les shortenings et autres huiles hydrogénées. Souhaitons que le reste des fabricants et restaurateurs suivent le mouvement rapidement, mais en attendant gardons l'œil ouvert sur les étiquettes de produits alimentaires !

Et la margarine, est-ce un bon ou un mauvais gras ? Ça dépend. S'il s'agit d'une margarine dure, elle a été faite d'huiles hydrogénées, elle contient des gras trans et on doit l'éviter.

S'il s'agit d'une margarine molle, c'est différent. Les huiles qui ont servi à sa fabrication ont subi d'autres procédés que l'hydrogénation pour la rendre semi-solide et tartinable, et elle ne contient pas de gras trans. Si elle contient surtout des huiles riches en acides gras monoinsaturés (olive, canola), ça peut être un très bon choix !

En résumé, concernant les lipides, les diabétiques de type 1 devraient :
- éviter les grandes quantités de matières grasses ;
- privilégier les aliments riches en acides gras monoinsaturés et en oméga 3 (huiles d'olive, de canola, de lin et de soya, noix et graines, poisson) ;
- limiter les gras saturés (gras de la viande, beurre) ;
- fuir à toutes jambes les gras trans (shortenings et huiles partiellement hydrogénées) !

Les protéines

Les protéines sont des éléments nutritifs « nobles ». Elles peuvent contribuer à satisfaire nos besoins énergétiques, mais seulement après avoir rempli leur rôle le plus important, qui est de fournir la matière première nécessaire à la croissance et au maintien des tissus du corps humain. En effet, c'est à partir des éléments de base des protéines alimentaires que nous fabriquons les protéines humaines si diversifiées : toutes nos enzymes, beaucoup de nos hormones, nos muscles, la matrice de nos os, nos organes, tous sont faits de protéines !

On comprend donc qu'il est essentiel de consommer des protéines tous les jours. Mais quelle est la quantité optimale à inclure dans l'alimentation ?

Habituellement, les experts en nutrition considèrent que les protéines devraient compter pour 10 % à 20 % des calories, pour l'ensemble des individus. Par exemple, chez un jeune enfant, cela peut représenter environ 30 à 60 grammes par jour, et chez un enfant plus vieux, environ 45 à 90 grammes.

Parmi les aliments, les meilleures sources de protéines sont les parties maigres des viandes, volailles et poissons, les substituts végétaux de la viande (légumineuses, noix, graines), les œufs et les produits laitiers. Et quelles sont les protéines de meilleure qualité ? Toutes les protéines d'origine animale sont des protéines complètes, mais la palme d'or pour la qualité protéique revient à l'œuf (après le lait maternel humain, tout de même !).

Les personnes diabétiques de type 1 ont-elles des besoins différents ?

Les personnes diabétiques de type 1 ayant un contrôle métabolique adéquat n'ont probablement pas besoin de consommer plus de protéines que les autres. Cela est particulièrement vrai dans une population comme la nôtre, où les sources alimentaires de protéines sont abondantes et accessibles.

Cependant, les personnes diabétiques peuvent avoir intérêt à porter une attention particulière à la façon dont elles répartissent leurs apports quotidiens en protéines. Peut-être plus que les autres, elles pourront bénéficier de certains rôles particuliers des protéines, à savoir leur effet sur la satiété, leur contribution dans la production de glucose et leur rôle dans la contre-régulation de l'hypoglycémie.

Protéines et satiété

Avec les fibres, les protéines sont les constituants alimentaires qui peuvent le mieux rassasier. Des études ont montré que la satiété durait plus longtemps (donc que la faim revenait moins vite!) après un repas contenant des protéines. Pour une personne diabétique chez qui l'insuline stimule l'appétit, les protéines peuvent être un bon «bouclier» contre les rages alimentaires! Il est donc important d'en inclure à chaque repas. Si le plan d'alimentation est basé sur les échanges alimentaires, la diététiste s'assurera d'inclure les groupes d'aliments appropriés. Pour les personnes pratiquant le calcul des glucides, un bon truc est de s'assurer que le mets principal d'un repas inclut au moins 15 g de protéines (c'est ce que fournissent par exemple deux gros œufs, ou environ 60 g de viande ou de volaille, ou environ 90 g de poisson). Les autres aliments devraient porter le total du repas à 20 à 25 g de protéines, ce qui est adéquat.

Protéines et production de glucose

On se rappelle peut-être qu'au chapitre 1 on avait expliqué par quels mécanismes le corps peut maintenir la glycémie entre les repas, une fois terminée la phase d'absorption du glucose alimentaire. Pour éviter l'hypoglycémie, le foie dégrade d'abord ses réserves de glycogène, puis se met à fabriquer du nouveau glucose, notamment à partir d'éléments provenant des protéines. Un apport régulier en protéines alimentaires peut favoriser cette voie métabolique.

Et si on mange une très grande quantité de protéines à la fois, est-ce que ça peut par le même mécanisme entraîner une hyperglycémie ?

Excellente question, que se posent aussi bien des experts. En fait, le processus de conversion des protéines en glucose n'est probablement pas rapide au point de provoquer une élévation marquée de la glycémie. Et à moins qu'il n'y ait à peu près plus d'insuline active dans le corps, il est peu probable que les protéines entraînent une hyperglycémie. Mais des réactions individuelles particulières sont possibles, et chaque personne diabétique de type 1 devrait être attentive à l'effet qu'une forte quantité de protéines peut avoir sur sa glycémie. La prochaine fois que vous mangerez une cuisse de dinde ou un *T-bone* de 20 onces, sortez le lecteur de glycémie !

Protéines et contre-régulation

Il existe un autre mécanisme grâce auquel les protéines pourraient aider à contrer l'hypoglycémie. Leur effet sur la stimulation de la sécrétion du glucagon pourrait être particulièrement utile pour prévenir l'hypo-glycémie nocturne ; nous en reparlerons dans le chapitre suivant.

Mentionnons déjà toutefois qu'en raison de ce phénomène il est essentiel d'inclure des protéines dans la collation de soirée.

Des protéines par-ci, des protéines par-là ! Trop de protéines, ce n'est pas trop bon pour les reins, n'est-ce pas ? Et est-ce que les diabétiques de type 1 ne sont pas particulièrement à risque par rapport aux maladies rénales ?

C'est vrai. Mais on sait aussi que les protéines alimentaires ne sont **pas la cause** des maladies rénales chez les personnes diabétiques. C'est plutôt un mauvais contrôle de la glycémie qui entraîne la dégradation de la fonction rénale. Une fois les atteintes constatées, les experts s'entendent : il faut diminuer les apports en protéines alimentaires. Mais, chez des personnes diabétiques qui n'ont pas d'atteinte rénale, les apports recommandés sont les mêmes que pour le reste de la population.

En résumé, concernant les protéines, les diabétiques de type 1 doivent retenir que :

- les meilleures sources sont les aliments d'origine animale ;
- les diabétiques n'ont pas besoin de plus de protéines que les autres personnes, mais elles doivent bien les répartir ;
- dans les repas, le mets principal devrait fournir au moins 15 grammes de protéines ;
- la collation de soirée doit comporter une source de protéines.

L'alcool : attention, danger !

Quand on devient diabétique de type 1, on devient souvent du même coup méfiant envers plusieurs aliments et produits alimentaires. Puis, petit à petit, on comprend mieux leurs effets sur la glycémie, on apprend comment on peut les inclure dans le plan d'alimentation, et la méfiance s'estompe.

Mais il y a un constituant alimentaire envers lequel on devrait **toujours rester méfiant et sur ses gardes** : il s'agit de l'alcool. Pourquoi ? Parce qu'il représente un danger réel pour les personnes diabétiques de type 1, pouvant entraîner des conséquences néfastes.

L'alcool est un drôle de nutriment ! Il peut fournir de l'énergie, mais il a aussi d'autres propriétés très particulières. Et dès qu'une boisson alcoolique entre dans le corps humain, elle est traitée comme si elle avait droit à des privilèges.

Alors que les aliments prennent un certain temps avant d'être digérés, l'alcool ne nécessite aucune digestion et il est **absorbé très rapidement**. Environ 20 pour cent est absorbé directement par les parois d'un estomac vide, et peut atteindre le cerveau en moins d'une minute. Pour éviter des effets rapides, il vaut mieux manger en même temps qu'on prend des boissons alcooliques : la présence d'aliments ralentit la vitesse de diffusion de l'alcool vers les parois de l'estomac. Mais l'estomac ne fait pas qu'absorber l'alcool. Il peut aussi commencer sa dégradation au moyen d'une enzyme spéciale, dont l'action aide à réduire la quantité d'alcool qui passe dans le sang. Les hommes produisent plus de cette enzyme que les femmes. Par conséquent, pour une même quantité d'alcool ingérée, les femmes auront un taux d'alcoolémie plus élevé et ressentiront plus d'effet que les hommes. C'est pour cette raison que pour elles, par rapport aux hommes, la modération signifie encore moins de consommations par jour!

L'alcool qui arrive dans l'intestin est aussi rapidement absorbé, et passe vers le foie. À cet endroit, il reçoit le «traitement VIP», faisant **passer au second plan** toutes les autres réactions métaboliques habituelles, dont **celles de produire du glucose quand la glycémie est basse**. Pourquoi cette priorité? C'est pour faciliter une disposition rapide de l'alcool, qui ne peut être stocké dans le corps et qui est perçu par le foie comme un agent toxique.

Pour dégrader l'alcool, le foie produit la même enzyme que l'estomac, mais en plus grande quantité. Mais quand trop d'alcool arrive en même temps, même le foie ne peut tout dégrader d'un coup. L'excès passe dans le sang et circule partout dans le corps avant de revenir au foie pour un second tour. Si on a bu plusieurs consommations, le processus complet de dégradation de l'alcool peut prendre plusieurs heures.

Quand il passe par le cerveau, **l'alcool procure des effets particuliers**, dont la nature varie selon le niveau d'alcoolémie. Cela peut aller des sensations agréables de légère euphorie jusqu'à une perte de conscience complète, en passant par des problèmes de jugement et des altérations du langage et de la vision. Le problème pour les personnes diabétiques, c'est que **certains de ces symptômes sont également des symptômes d'hypoglycémie**. La personne diabétique elle-même et son entourage peuvent penser qu'elle a juste un «p'tit verre dans le nez», alors qu'en réalité elle est en pleine hypoglycémie! Ou encore, si elle est vraiment très euphorique, elle risque d'oublier des choses importantes, par exemple sa prochaine injection d'insuline.

Pour les personnes diabétiques de type 1 encore plus que pour les autres, la modération a bien meilleur goût. Il est important de **limiter les quantités** d'alcool consommées: pas plus d'une ou deux consommations à la fois, et pas plus de 14 consommations par semaine pour les hommes ou 9 consommations par semaine pour les femmes. Les précautions suivantes sont aussi nécessaires.

✓ Éviter de boire quand on a l'estomac vide.

✓ Limiter les boissons à forte teneur en alcool
(alcools forts, spiritueux).

✓ Accompagner la consommation d'alcool de la prise d'aliments
glucidiques, qui pourront soutenir la glycémie dans les heures
qui suivent.

✓ Porter sur soi une identification de la condition de diabétique
(ex. : bracelet, collier, carte).

✓ Avertir l'entourage du risque accru d'hypoglycémie,
et expliquer la façon de la traiter.

✓ Vérifier régulièrement sa glycémie.

✓ Ne pas omettre la collation du soir.

✓ S'assurer de se lever à l'heure habituelle le lendemain matin
pour vérifier la glycémie et administrer l'insuline.

Tiens, revoici Mélanie ! Ce soir, elle est allée souper au restaurant avec des amis.
À l'heure de l'apéro, elle s'interroge : serait-elle mieux avec une bière ordinaire
ou avec une de ces nouvelles bières faibles en glucides ? Et si elle prend la bière
ordinaire, doit-elle en tenir compte dans le calcul de ses glucides ?

Devant ce choix, le mieux pour Mélanie serait d'opter pour la bière ordinaire,
et de ne pas tenir compte dans son calcul des grammes de glucides présents
dans sa boisson alcoolique. Pourquoi ? C'est parce que les glucides de la bière
pourront assurer une petite marge de sécurité, par rapport au risque d'hypoglycémie qu'entraîne l'alcool aussi contenu dans la bière.

Une autre bonne stratégie : choisir plutôt de la bière légère, à teneur réduite en
alcool. Mélanie pourra alors en prendre un peu plus, mais la même quantité
d'alcool sera ingérée sur une plus longue période, facilitant le travail du foie
pour le dégrader.

En résumé, à propos de l'alcool, les diabétiques de type 1 doivent retenir que :

- les boissons alcooliques entraînent un risque réel d'hypoglycémie, pouvant persister plusieurs heures après leur consommation ;
- les symptômes d'hypoglycémie peuvent être confondus avec les symptômes d'ébriété ;
- il ne faut jamais boire d'alcool l'estomac vide ;
- si on pratique le calcul des glucides, on ne doit pas tenir compte des grammes de glucides contenus dans les boissons alcooliques.

Les substituts du sucre

L'être humain aime le sucre, et ce, dès les premiers jours de sa vie. Le bébé fait la grimace s'il goûte des aliments salés, amers ou acides, mais sourit aux anges et ouvre grand la bouche dès que ses papilles détectent le goût sucré ! Et à tout âge, les aliments sucrés sont signe de douceur, de fête et de récompense.

Malheureusement, le sucre n'a pas que des qualités ! Trois choses lui sont reprochées : 1) il cause la carie dentaire, 2) il est plein de « calories vides », c'est-à-dire qu'il n'apporte que de l'énergie et aucun micronutriment (vitamines, minéraux), et 3) il fait monter la glycémie. Lorsqu'on est diabétique, c'est bien sûr cette troisième caractéristique qu'on aimerait souvent contourner !

Évidemment, les sucres-alcools (itols) peuvent représenter des options intéressantes, puisqu'ils protègent contre la carie et qu'ils ont un effet plus modeste sur la glycémie que les vrais sucres. Mais les sucres-alcools ont le désavantage suivant : dès qu'on dépasse une certaine dose quotidienne, pas si élevée, leurs effets laxatifs se manifestent rapidement. Ce ne sont donc pas de parfaits substituts du sucre !

Mais il y aussi d'autres options, qu'on appelle les «édulcorants de synthèse à saveur intense». Il s'agit de produits synthétiques (c'est-à-dire qu'on ne retrouve pas dans la nature et qu'on doit fabriquer) et qui sont des centaines de fois plus sucrés que le sucre. Pour cette raison, il n'en faut que des quantités minimes, habituellement de l'ordre de quelques milligrammes, pour conférer un goût sucré aux aliments ou produits alimentaires.

Comme il s'agit de produits synthétiques, leur usage dans les aliments doit avoir été approuvé par Santé Canada. Quand un fabricant désire qu'un nouvel édulcorant de synthèse soit homologué, il doit présenter le rapport de plusieurs années d'études sur son produit, et démontrer son innocuité.

Si Santé Canada entretient la plus petite crainte quant à des effets négatifs possibles, elle refusera le produit, ou encore elle en interdira l'usage dans les aliments.

Si l'innocuité a été clairement établie, l'édulcorant peut être homologué pour usage comme ingrédient dans les produits alimentaires, et pour la vente en tant que succédané du sucre. Dans ce dernier cas, le produit est vendu sous le nom d'«édulcorant de table», c'est-à-dire pour usage domestique. Il est alors offert en sachets, en comprimés ou en poudre.

Le tableau de la page suivante présente les édulcorants de synthèse actuellement approuvés au Canada. Parmi ceux-ci, on peut remarquer que seuls la saccharine et les cyclamates ne sont pas autorisés comme ingrédients dans les produits alimentaires. Si on veut les utiliser, il faut se les procurer à l'épicerie ou en pharmacie. Santé Canada veut ainsi s'assurer qu'aucun consommateur n'en ingérera à son insu.

Édulcorants de synthèse approuvés au Canada

Nom	Marques de commerce	Caractéristiques	Retrouvé dans...
Sucralose	Splenda^{MD}	Stable à la chaleur Goût de sucre	Plusieurs boissons et aliments commerciaux Comme édulcorant de table (vendu en pharmacie et en épicerie)
Aspartame	Nutrasuc^{MD} Egal^{MD}	Instable à température élevée Goût semblable à celui du sucre	Plusieurs boissons et aliments commerciaux Comme édulcorant de table (vendu en pharmacie et en épicerie)
Acésulfame de potassium (K)	Sunett^{MD} (vendu uniquement à l'industrie alimentaire)	Peut être utilisé pour la cuisson Très grande solubilité Arrière-goût métallique	Boissons et aliments commerciaux (surtout boissons gazeuses)
Thaumatin	Talin^{MD} (vendu uniquement à l'industrie alimentaire)	Rehausseur de saveur Masque l'amertume des aliments	Aliments commerciaux (gomme à mâcher, rafraîchisseurs d'haleine, substituts de sel)
Cyclamates*	Sucaryl^{MD} Sugar Twin^{MD} Sweet'N Low^{MD}	Stable à la chaleur Arrière-goût amer	Comme édulcorant de table (vendu en pharmacie et en épicerie)
Saccharine*	Hermesetas^{MD}	Arrière-goût amer si chauffé	Comme édulcorant de table (vendu en pharmacie seulement)

* L'ajout de ces édulcorants dans les boissons et aliments commerciaux n'est pas autorisé. De plus, ils ne sont pas recommandés pendant la grossesse et l'allaitement.

Faut-il craindre l'aspartame?

L'aspartame est un édulcorant à saveur intense utilisé au Canada et dans de nombreux pays à travers le monde depuis une trentaine d'années. On la retrouve dans une foule de produits alimentaires. On peut aussi l'utiliser comme édulcorant de table. Toutefois, elle ne résiste pas à la chaleur, qui lui fait perdre son goût sucré.

Malgré que Santé Canada soit convaincue de l'innocuité de l'aspartame, on entend dire le pire de cet édulcorant, que certains soupçonnent même de provoquer des cancers. Qu'en est-il au juste? La structure chimique de l'aspartame est la suivante: elle est constituée de deux acides aminés (les éléments de base qui composent les protéines) et d'un groupement « méthyl ». Parmi ces deux acides aminés figure la phénylalanine, que doivent éviter les personnes atteintes d'un très rare défaut génétique appelé «phénylcétonurie». Ainsi, l'étiquette de tout produit contenant de l'aspartame doit inclure une mise en garde à l'intention de ces personnes. Mais, pour toutes les autres, la phénylalanine ne présente aucun problème; on en consomme d'ailleurs chaque jour de bien plus grandes quantités en mangeant des protéines que ce que l'aspartame contient.

Non, ce qui soulève l'inquiétude de certains n'est pas la phénylalanine, mais plutôt le groupement méthyl de l'aspartame. Pourquoi? C'est que, pendant son métabolisme, ce groupement devient momentanément du méthanol puis de la formaldéhyde, des produits potentiellement toxiques pour le corps humain.

Lors des études réalisées pour l'homologation de l'aspartame, il a été bien établi que les quantités de ces métabolites générés par l'aspartame étaient bien en dessous du seuil à partir duquel ils pourraient représenter un danger. En fait, pour des quantités identiques, le jus de tomates libère six fois plus de méthanol qu'une boisson gazeuse diète!

Pas convaincu? C'est votre droit! Personne ne vous oblige à consommer de l'aspartame contre votre gré. Comme édulcorant de table, le sucralose est un excellent choix, et on le retrouve aussi de plus en plus comme substitut du sucre dans les produits transformés, dont les boissons gazeuses diète.

Le stevia

Le stevia est un édulcorant naturel à saveur intense, extrait de la plante *Stevia rebaudiana*. Bien qu'il ne soit pas approuvé par Santé Canada comme additif alimentaire pouvant être utilisé comme édulcorant, le stevia est vendu comme supplément alimentaire dans certains commerces de produits naturels, et aussi comme plante dont les feuilles peuvent être infusées dans certains centres de jardinage. Le stevia n'a aucun effet sur la glycémie. Les personnes diabétiques devraient-elles l'utiliser? Ce produit a possiblement des avantages, mais ses bénéfices en regard du diabète restent à déterminer. De plus, comme il n'est pas réglementé, on n'est jamais tout à fait certain de ce que le petit sachet de poudre contient !

Et le fructose, lui, est-ce que c'est un bon substitut du sucre ?

En fait, le fructose **est** un sucre, on ne peut donc pas en parler comme d'un substitut.

On a parfois l'impression que, parce qu'on l'appelle le «sucre des fruits», le fructose est plus «naturel» que le sucrose ou le glucose. Or, ces deux derniers sucres sont tout aussi naturellement présents dans les aliments végétaux, dont plusieurs fruits ! Et le fructose n'est pas seulement présent dans les aliments naturels, il se retrouve aussi dans un sirop fabriqué en industrie à partir du maïs, le *high fructose corn syrup*, ou «HFCS». Sous cette forme, il est utilisé comme agent sucrant dans une foule de produits tranformés, dont les boissons gazeuses sucrées et les desserts. Enfin, ne l'oublions pas, le fructose constitue la moitié de la molécule de sucrose, le sucre de table.

Cependant, pour une même quantité, le fructose a un pouvoir sucrant supérieur au glucose (il en faut moins pour donner le même goût sucré), et son indice glycémique est plus faible. Doit-on alors systématiquement le privilégier ? Pas nécessairement, car il a été observé que la consommation de grandes quantités de fructose pouvait avoir un effet négatif sur certains constituants des lipides sanguins. Pour les personnes diabétiques, il n'est pas recommandé de consommer plus de 60 g par jour de fructose ajouté (c'est-à-dire comme agent sucrant ou dans les boissons ou aliments sucrés au fructose).

Les vitamines, minéraux et antioxydants

Il y a une foule de constituants présents en microquantités dans les aliments (les vitamines, les minéraux, mais aussi les isoflavones, les phytates, les caroténoïdes, les proanthocyanidines, etc. !). N'y en a-t-il pas quelques-uns qui pourraient être utiles pour le diabète de type 1 ?

Il est certain que les personnes diabétiques ont besoin des micronutriments. Ces constituants alimentaires, on en parle moins souvent, mais il faut quand même en consommer tous les jours ! Normalement, une alimentation équilibrée et diversifiée assure un apport adéquat pour satisfaire nos besoins. Chez une personne ayant un statut alimentaire particulier (ex.: végétarien strict), un supplément multivitaminique et minéral peut cependant être indiqué.

Dans les dernières années, on s'est aussi intéressé aux avantages que pourraient représenter certains micronutriments particuliers, en lien avec le diabète de type 1.

Vitamine B3 et prévention du diabète de type 1

Depuis une vingtaine d'années, plusieurs études de par le monde ont voulu vérifier l'hypothèse selon laquelle la prise de suppléments de vitamine B3 (niacinamide) aiderait à prévenir le développement du diabète de type 1. Cependant, les résultats obtenus ont été très variables, et on considère actuellement qu'il ne s'agit pas d'une approche efficace pour prévenir ou retarder l'apparition du diabète.

Herbes médicinales et suppléments pour le contrôle de la glycémie

On le sait, dans le diabète de type 1, il n'y a plus de sécrétion d'insuline, et on ne peut malheureusement pas «ressusciter» les cellules détruites du pancréas. Mais est-ce qu'on peut améliorer le contrôle de la glycémie autrement que par la seule administration d'insuline exogène?

Peu d'études contrôlées ont été menées sur les préparations d'herbes médicinales, mais les autorités sanitaires américaines ont rapporté quelques cas de produits ayant causé des épisodes d'hypoglycémie. La raison est que certains constituants de ces herbes ont des propriétés similaires à celles des médicaments hypoglycémiants utilisés dans le traitement du diabète de type 2. Comme on n'est jamais tout à fait certain de ce que contiennent ces suppléments, et comme les dosages peuvent varier d'une fois à l'autre, il est contre-indiqué d'en consommer lorsqu'on est traité à l'insuline.

Chez les diabétiques de type 2, qui sont plus résistants à l'action de l'insuline, on a aussi observé que certains suppléments de minéraux (chrome, vanadium) pouvaient améliorer le contrôle métabolique. Mais ces suppléments n'ont aucun avantage particulier pour les personnes diabétiques de type 1.

Vitamines, minéraux, probiotiques et immunité

Comme toute maladie, le diabète peut affecter le système immunitaire. Plusieurs études ont confirmé un effet bénéfique des vitamines et des minéraux sur le système immunitaire. À cet égard, un supplément multivitaminique et minéral peut être utile dans certains cas, surtout si l'évaluation nutritionnelle indique un risque d'apports alimentaires inadéquats.

Il existe aussi d'autres constituants retrouvés dans des aliments bien particuliers qui peuvent avoir un effet très positif sur le système immunitaire. Ce sont les « bonnes » bactéries utilisées dans la fabrication de certains produits fermentés. Par exemple, les bactéries traditionnellement utilisées pour transformer le lait en yogourt peuvent stimuler le système immunitaire humain. D'autres ferments lactiques découverts plus récemment ont des effets encore plus bénéfiques. On retrouve maintenant sur le marché toute une gamme de produits laitiers fermentés (avec des bactéries actives tels les « bifidus ») qui sont tout à fait recommandables, en particulier pour les personnes diabétiques.

Antioxydants et prévention des complications

Les antioxydants sont très utiles pour diminuer les complications (vasculaires, entre autres) qui peuvent survenir à long terme avec le diabète, mais leur effet sur la glycémie comme telle est négligeable.

Quels sont les constituants alimentaires à propriétés antioxydantes? Certaines vitamines, dont les vitamines A, E et C, mais aussi beaucoup d'autres composés qu'on retrouve dans les produits végétaux, notamment certains pigments qui leur confèrent des couleurs vives.

Doit-on prendre les antioxydants en fortes doses, sous forme de suppléments ? Il semble que non. En effet, certaines études menées au cours des dernières années ont indiqué que des suppléments à hautes doses de vitamine A et de vitamine E avaient des effets adverses pour beaucoup d'utilisateurs.

Le mieux, c'est encore de bien manger ! Consommer chaque jour une variété d'aliments, tout en privilégiant les produits végétaux, c'est la solution gagnante pour un bon apport en antioxydants. Les légumes vert foncé, rouges ou orange sont à rechercher particulièrement, tout comme les petits fruits que nous offre la nature en saison (fraises, bleuets, canneberges…), mais que les supermarchés proposent maintenant à longueur d'année, frais ou surgelés !

Conclusion

En fin de compte, que doit-on retenir de ce chapitre ? Surtout que les aliments contiennent tout ce qu'il faut pour satisfaire les besoins particuliers des personnes diabétiques. Mais retenons aussi qu'il faut faire les bons choix, et ne pas «avaler n'importe quoi», y compris les mille et un conseils dont on est bombardé tous les jours !

L'hypoglycémie : les aliments pour la traiter, les stratégies alimentaires pour la prévenir

Dès qu'une personne diabétique est un peu pâle, qu'elle semble fatiguée ou abattue, ses proches auraient souvent envie de lui demander non pas : « Comment te sens-tu ? », mais plutôt : « Combien te sens-tu ? » Tout en présumant que la réponse se situe quelque part en bas de 4 mmol / L…

C'est un fait : la première pensée qui vient à l'esprit devant le moindre changement de physionomie ou d'attitude, c'est la fameuse hypoglycémie, bête noire des personnes diabétiques de type 1 et de leur entourage.

Pourquoi bête noire ? C'est que le manque de glucose au cerveau, conséquence de l'hypoglycémie, est le principal obstacle à un contrôle parfait du diabète. En effet, s'il ne s'agissait que de traiter l'hyperglycémie, la recette serait très facile : on donnerait la dose voulue d'insuline, en répétant aussi souvent que nécessaire, et l'hémoglobine glycosylée serait normale à chaque contrôle ! Malheureusement, les choses ne sont pas aussi simples. Dès qu'il y a un peu trop d'insuline dans l'organisme, la glycémie chute et les symptômes d'hypoglycémie apparaissent les uns après les autres. Il faut vite réagir et traiter l'hypoglycémie, sinon les conséquences risquent d'être au mieux désagréables, au pire désastreuses.

L'hypoglycémie étant une réalité incontournable dans le quotidien des personnes traitées à l'insuline, essayons d'en apprendre un peu plus sur son compte, et voyons surtout comme y faire face.

Qu'est-ce que l'hypoglycémie ?

On utilise trois critères pour définir une hypoglycémie. Ce sont :

✓ une glycémie sous la normale ;

✓ l'apparition de symptômes liés à cette glycémie sous la normale ;

✓ le soulagement des symptômes après l'administration
de glucides.

Et qu'entend-on au juste par « glycémie sous la normale » ? Selon l'Association canadienne du diabète, pour les personnes recevant de l'insuline ou un médicament stimulant la sécrétion de l'insuline, c'est une glycémie inférieure à 4,0 mmol / L.

Ce seuil est en fait un peu arbitraire, et utile surtout pour les besoins de la définition. En pratique, et considérant que les lecteurs de glycémie ont un degré d'imprécision pouvant aller jusqu'à 10 %, il ne faut pas être trop à cheval sur le fameux 4,0. Les symptômes peuvent aussi apparaître à des valeurs différentes. L'important, c'est de traiter sans tarder !

Qu'est-ce qui provoque l'hypoglycémie ?

Chez une personne diabétique traitée à l'insuline, divers facteurs peuvent entraîner l'hypoglycémie. Il peut s'agir par exemple de facteurs liés à l'alimentation (ex. : retard d'un repas, apport insuffisant en glucides, consommation d'alcool avec l'estomac vide), à l'exercice (ex. : activité physique imprévue) ou à l'insulinothérapie (ex. : erreurs dans les doses administrées, absorption trop rapide de l'insuline injectée). Toutefois, tous ces facteurs convergent vers un même résultat : à un moment donné, il y a dans le corps un surplus d'insuline par rapport au glucose disponible.

Ce déséquilibre entre l'insuline et le glucose est effectivement la cause principale de l'hypoglycémie chez les personnes diabétiques. Cependant, l'altération d'autres mécanismes hormonaux fait aussi partie du problème.

En effet, les mécanismes de contre-régulation de la glycémie ne fonctionnent plus qu'à moitié, parfois même plus du tout.

Au chapitre 1, nous avons vu que, chez une personne non diabétique, la baisse de la glycémie qui survient au terme de l'absorption des glucides entraîne la sécrétion du glucagon par le pancréas. Cette hormone favorise la remontée de la glycémie. Si son action ne suffit pas, d'autres hormones antagonistes de l'insuline sont sécrétées. Or, quelque temps après le début du diabète, la baisse de la glycémie n'arrive plus à déclencher la sécrétion du glucagon. Dans certains cas, les autres hormones antagonistes ne sont plus sécrétées non plus. Résultat: l'insuline injectée qui est encore active a tout le champ libre pour faire pénétrer le glucose dans les cellules musculaires et adipeuses, et il n'en reste plus assez pour le cerveau.

Les symptômes d'hypoglycémie

Les symptômes d'hypoglycémie se répartissent en deux catégories. La première est celle des symptômes qu'on pourrait qualifier d'«avant-coureurs», ou d'«annonciateurs» de l'hypoglycémie. Ils sont liés à un mécanisme normal de défense du corps humain dans une situation de stress ou de danger: la sécrétion d'adrénaline. Pour cette raison, on les appelle les symptômes **adrénergiques** (on dit aussi parfois «symptômes autonomes»). Ils incluent par exemple:

- la transpiration
- les palpitations
- les tremblements
- l'anxiété
- la faim

D'autres symptômes adrénergiques peuvent aussi être ressentis, et varient d'une personne diabétique à une autre.

Imaginons que vous soyez tranquillement assis dans un fauteuil moelleux, en train de regarder votre émission de télé préférée. Tout à coup, un bruit de vitre cassée attire votre attention et vous tournez la tête vers la porte patio. Horreur, un énorme ours polaire échappé du zoo est entré dans votre salon! Vous bondissez hors de votre fauteuil et vous courez à toutes jambes vers l'abri le plus proche, en fracassant au passage le record mondial du 100 mètres haies. Comment êtes-vous passé si vite du repos au galop? Grâce à l'adrénaline qui a donné tout un coup de fouet à votre organisme!

Chez la plupart des personnes diabétiques traitées à l'insuline, une chute importante de la glycémie est ressentie par l'organisme comme une situation menaçante à court terme pour le cerveau, c'est-à-dire comme un stress important. Les glandes surrénales réagissent alors en sécrétant de l'adrénaline, aussi appelée « épinéphrine ». Cette substance est l'une des hormones antagonistes de l'insuline. Comme le glucagon, son principal rôle est de faire remonter la glycémie. Mais elle a en même temps des effets sur d'autres systèmes du corps, et c'est ce qui explique les premiers symptômes ressentis au cours d'une hypoglycémie.

Malheureusement, chez certaines personnes diabétiques, ce phénomène de défense n'opère plus très bien. Deux situations peuvent se présenter:

Situation 1: Étant traitée de façon intensive pour avoir le meilleur contrôle métabolique possible, la personne est si souvent en hypoglycémie que son corps ne reconnaît plus cet état comme une situation de danger. Chez elle, la baisse de glycémie ne déclenche plus la sécrétion d'adrénaline; elle ne peut donc pas ressentir les symptômes adrénergiques.

Situation 2: Oscillant trop souvent entre des valeurs élevées et des valeurs normales de glycémie, la personne ressent les symptômes à chaque baisse abrupte de sa glycémie, même si elle n'atteint pas le seuil réel de l'hypoglycémie (elle « se sent en hypo » car de l'adrénaline a réellement été secrétée dans son corps, mais sa glycémie reste supérieure à 4,0).

Malheureusement aussi, même dans les cas où elle est sécrétée adéquatement, l'adrénaline ne peut pas faire grand-chose pour contrer l'hypoglycémie chez un diabétique de type 1 lorsque le surplus d'insuline injectée est important. Le plus souvent, la baisse de glycémie se poursuit inévitablement...

Au moins, l'adrénaline a le mérite de sonner l'alarme. Dans plusieurs cas, l'apparition des symptômes adrénergiques incite la personne diabétique à vérifier sa glycémie, et à agir rapidement pour se traiter au besoin.

Il est donc important que les diabétiques de type 1 qui ressentent peu ou qui ont du mal à détecter ces premiers symptômes discutent avec leur équipe de soins des mesures à prendre pour restaurer leur capacité de reconnaissance des hypoglycémies.

La seconde catégorie des symptômes d'hypoglycémie est celle des symptômes **neuroglycopéniques** (ce grand mot signifie une seule chose: manque de glucose au cerveau). Ils incluent:

- les troubles de la concentration
- la confusion
- la faiblesse, la fatigue
- la somnolence
- les altérations de la vision
- les troubles du langage
- les maux de tête
- les étourdissements
- les pertes de conscience, éventuellement les convulsions ou le coma

Heureusement, les derniers troubles (perte de conscience, convulsions, coma) sont très rares. N'empêche que chaque personne diabétique de type 1 traitée selon un protocole d'insulinothérapie intensive est à risque. Elle-même et son entourage doivent être très vigilants pour reconnaître les symptômes neuroglycopéniques, qui sont l'indication d'un état réel de «détresse» du cerveau. Rappelons-nous que celui-ci ne carbure qu'au glucose et qu'il en a besoin constamment, de la même façon qu'il a besoin d'oxygène. Or, dans un état d'hypoglycémie, le sang circule toujours très bien dans le cerveau, avec tout l'oxygène nécessaire, mais les molécules de glucose se font de plus en plus rares. Certaines cellules se mettent à fonctionner beaucoup moins bien…

Le problème, c'est que d'une fois à l'autre la personne diabétique ne ressent pas toujours les mêmes symptômes à une même glycémie. Ou encore les symptômes sont présents chez elle, mais elle ne s'en rend même pas compte. C'est un peu normal : ce n'est pas évident pour un cerveau en manque de glucose de reconnaître qu'il manque de glucose, justement ! Et étonnamment, la personne diabétique peut certains jours très bien supporter une hypoglycémie à 2,2, et d'autres fois perdre connaissance à 3,0. C'est à y perdre son latin !

Du fait que les symptômes varient d'une occasion à une autre et d'une personne diabétique à une autre, il est difficile de définir très exactement la sévérité de l'hypoglycémie en fonction des concentrations de glucose sanguin. L'Association canadienne du diabète «qualifie» plutôt la gravité de l'hypoglycémie de la façon suivante :

Hypoglycémie légère: Présence de symptômes adrénergiques. La personne est en mesure de traiter elle-même son hypoglycémie.

Hypoglycémie modérée: Présence de symptômes adrénergiques et neuroglycopéniques. La personne est en mesure de traiter elle-même son hypoglycémie.

Hypoglycémie grave: La personne a besoin d'aide pour traiter son hypoglycémie et elle risque de perdre connaissance. La glycémie est habituellement inférieure à 2,8 mmol / L.

On comprendra évidemment qu'il faut parfois nuancer: si la personne diabétique est un jeune enfant d'âge préscolaire, il n'est pas sûr qu'elle «soit en mesure de traiter elle-même son hypoglycémie», même si celle-ci n'est que légère!

Et parlant des jeunes enfants diabétiques, mentionnons que, chez eux, les hypoglycémies graves sont particulièrement préoccupantes. Plusieurs études ont rapporté que des épisodes répétés d'hypoglycémie sévère semblent augmenter le risque de déficit cognitif ou intellectuel chez les enfants d'âge préscolaire. En effet, c'est à cet âge que le cerveau est en plein développement, et qu'il a encore plus besoin du glucose que plus tard dans la vie. Pour cette raison, les médecins traitants déterminent le plus souvent des objectifs de glycémie moins «exigeants» pour leurs jeunes patients diabétiques. Mieux vaut qu'ils soient légèrement en hyperglycémie que trop souvent en hypoglycémie!

Traiter l'hypoglycémie

Dès que l'hypoglycémie est détectée, il faut la traiter, et vite. Chaque minute qui passe pouvant aggraver les symptômes, il n'y a pas de temps à perdre pour fournir rapidement le glucose nécessaire à l'organisme.

Faut-il confirmer l'hypoglycémie par une mesure avec le lecteur de glycémie? C'est préférable, mais pas absolument nécessaire, surtout si l'appareil n'est pas à portée de la main. Dans le doute, le mot d'ordre est: traiter!

S'il s'avère après coup que la personne n'était pas réellement en hypoglycémie, le traitement n'aura eu comme conséquence que de faire augmenter modérément sa glycémie. Les conséquences sont autrement plus graves quand une hypoglycémie réelle n'est pas traitée!

De quelle façon faut-il traiter? En donnant suffisamment de sucre à absorption rapide pour faire remonter au plus vite la glycémie au-dessus du fameux seuil de 4,0.

Toutes les personnes diabétiques ne réagissent pas de la même façon à la même quantité de sucre. Les principaux facteurs de variation sont la vitesse d'assimilation par le système digestif et le volume sanguin.

Sur le plan digestif, le temps de passage dans l'estomac ainsi que la digestion (si nécessaire) et l'absorption intestinale sont les facteurs déterminants. Évidemment, si l'hypoglycémie survient peu de temps après un repas riche en fibres ou en matières grasses, le sucre ingéré pour la traiter prendra plus de temps à traverser l'estomac et à se frayer un chemin jusqu'aux cellules de l'intestin qui le prendront en charge et le transféreront dans la circulation sanguine. Par ailleurs, toute source de glucides qui a besoin d'être digérée par les enzymes avant de pouvoir être absorbée mettra plus de temps à augmenter la glycémie. Pour ces raisons, on considère que le sucre le plus indiqué pour traiter l'hypoglycémie est le glucose (qui ne nécessite aucune digestion par les enzymes), et qu'il doit être ingéré seul (sans autres nutriments) pour agir le plus vite possible.

Sur le plan sanguin, rappelons-nous que la glycémie est une concentration, c'est-à-dire qu'elle est exprimée en quantité de glucose par quantité de sang. Par exemple, un adulte de 70 kg ayant beaucoup plus de sang dans son corps qu'un enfant de 20 kg, la même quantité de glucose fera moins augmenter la glycémie chez le premier que chez le second.

De façon **générale**, il est rapporté que 15 grammes de glucose sont nécessaires pour produire une hausse de la glycémie d'environ 2,1 mmol / L en 20 minutes, alors qu'une dose orale de 20 grammes de glucose produit une hausse moyenne de la glycémie d'environ 3,6 mmol / L en 45 minutes.

Les lignes directrices les plus récentes de l'Association canadienne du diabète pour le traitement de l'hypoglycémie sont les suivantes.

✓ Chez l'adulte, une hypoglycémie légère ou modérée doit être traitée par l'ingestion de 15 grammes de glucides (glucose ou saccharose), préférablement sous forme de comprimés ou sous forme liquide.

✓ On doit suggérer au patient d'attendre 15 minutes, de mesurer sa glycémie de nouveau et d'ingérer encore 15 grammes de glucides si sa glycémie demeure inférieure à 4,0 mmol / L.

✓ Chez les jeunes enfants (âgés de moins de 5 ans ou pesant moins de 20 kg), il convient d'administrer 10 grammes de glucides pour commencer.

✓ Une hypoglycémie grave chez un adulte conscient doit être traitée par l'ingestion de 20 grammes de glucides, préférablement sous forme de comprimés de glucose ou l'équivalent. On doit suggérer au patient d'attendre 15 minutes, de mesurer sa glycémie de nouveau et d'ingérer encore 15 grammes de glucides si sa glycémie demeure inférieure à 4,0 mmol/L.

Lorsque la personne est inconsciente, elle doit être traitée par l'administration de glucagon.

Les modalités d'administration du glucagon et le recours aux services d'urgence dépassent le champ d'intérêt du présent ouvrage. Les personnes diabétiques sont invitées à consulter leur équipe de soins ou leur médecin traitant pour connaître les directives spécifiques du traitement d'une hypoglycémie grave avec perte de conscience. Ici, mentionnons simplement à titre indicatif qu'une injection de glucagon prend environ 10 minutes avant d'agir, et que son effet dure entre 30 et 60 minutes. Après l'administration, dès que la personne est alerte et capable d'avaler, on peut lui offrir quelque chose de léger (ex.: boisson gazeuse ordinaire), car elle doit remplacer les réserves de glucose du foie que le glucagon a libérées. Ensuite, dès qu'elle peut avaler des aliments solides, elle peut prendre par exemple un sandwich et un verre de lait. Par contre, si elle a des nausées ou des vomissements persistants, il faut contacter l'équipe de soins.

Mais revenons maintenant au traitement plus courant des hypoglycémies sans perte de conscience, et voyons quels produits et aliments peuvent être utiles à cet effet.

Les produits commerciaux pour traiter l'hypoglycémie

On peut se procurer en pharmacie, et parfois même dans les supermarchés ou les magasins à grande surface, un certain nombre de produits destinés à traiter l'hypoglycémie. Il s'agit principalement de préparations de glucose, sous forme de comprimés ou de gels.

Une petite chose à savoir ici : « dextrose » est un autre terme utilisé pour désigner le glucose. Ce sont deux synonymes, tout comme « sucrose » est synonyme de « saccharose », et « lévulose » est synonyme de « fructose ».

Les produits commerciaux les plus populaires sont :

- les comprimés Dextrosol [MD], nature ou aromatisés à l'orange ou au citron, offerts en paquets de 47 grammes sous emballage de papier métallisé ;
- les comprimés Dex 4 [MD] à saveur de raisin, de melon d'eau, de framboise ou d'orange, offerts en tubes de plastique refermables (10 comprimés) ou en bouteille de plastique vissable (50 comprimés) ;
- les comprimés Glucose BD [MD], aromatisés à l'orange, emballés individuellement et vendus par paquets de trois ;
- les comprimés Glucosol [MD], à saveur d'orange, offerts en tubes de plastique refermables (14 comprimés).

Dans ces quatre produits, l'ingrédient principal est le glucose, qui représente plus de 80 % de leur poids. D'autres glucides (maltodextrine ou cellulose) peuvent être présents en petites quantités, pour permettre l'agglomération sous forme de comprimés.

Voici les quantités requises de chaque produit pour fournir **15 grammes de glucides**:

- Dextrosol^{MD}: 5 comprimés
- Dex 4^{MD}: 4 comprimés (fournissent 16 grammes)
- Glucose BD^{MD}: 3 comprimés
- Glucosol^{MD}: 7 comprimés (fournissent 14 grammes)

Outre le fait qu'ils soient composés surtout de glucose, le sucre ayant l'effet le plus immédiat sur la glycémie, ces produits présentent d'autres avantages.

✓ Ce sont des sources concentrées de glucides.

✓ Ils se conservent longtemps, tant que l'emballage est intact.

✓ Ils prennent peu de place.

✓ Les emballages hermétiques (Glucose BD^{MD}) ou refermables (Dex 4^{MD} ou Glucosol^{MD}) sont résistants à l'humidité (particulièrement utiles à la piscine, par exemple!).

Par contre, certains de ces produits peuvent à la longue s'avérer assez coûteux. Ainsi, il peut revenir jusqu'à dix fois plus cher de traiter une hypoglycémie avec ces produits qu'avec 15 grammes de sucres provenant d'aliments usuels.

Et les petits tubes de gel de glucose? Est-ce que c'est une bonne façon de traiter l'hypoglycémie?

On a longtemps pensé que oui, mais plus maintenant. En effet, il a été rapporté que le gel agit très lentement, et parvient à hausser la glycémie d'à peine 1,0 mmol/L en 20 minutes. De plus, le gel doit être **avalé** pour exercer cet effet (on pensait auparavant qu'il était efficace en étant simplement déposé entre la gencive et la joue, mais on sait désormais que c'est inexact). Les tubes de gel ne sont donc pas des solutions de premier choix…

Les aliments usuels pour traiter l'hypoglycémie

Plusieurs boissons ou aliments usuels peuvent être utilisés pour traiter une hypoglycémie. Les deux critères importants sont :

- qu'ils soient relativement concentrés en sucres (c'est-à-dire qu'on n'ait pas besoin d'en ingérer une trop grande quantité pour avoir 15 grammes de glucides) ;
- qu'ils contiennent surtout des glucides et éventuellement de l'eau (parce que la présence d'autres constituants tels que les fibres, les protéines ou les matières grasses pourrait retarder l'assimilation des sucres et l'effet sur la glycémie).

Voici des aliments et boissons qui satisfont ces critères, et les quantités requises pour fournir **environ 15 grammes de glucides** :

- 15 ml (3 cuillerées à thé, ou 1 cuillerée à table) de sirop de maïs
- 15 ml de sucre de table, dissous dans un peu d'eau
- 15 ml de sirop d'érable
- 15 ml de miel
- 18 à 20 grammes de bonbons clairs (ex. : 6 bonbons Life Savers ^{MD})
- 125 ml de boisson gazeuse ordinaire (pas diète)
- Sachet de 200 ml de boisson Kool-Aid Sport ^{MD}
- 250 ml de boisson Gatorade ^{MD}
- 125 ml de boisson aux fruits
- 125 ml de jus de fruits

Pourquoi le sirop de maïs est-il en tête de liste ? Parce que c'est à peu près le seul aliment usuel dont les glucides sont constitués majoritairement de **glucose** sous forme libre, qui est le sucre le plus efficace pour hausser la glycémie. Dans les autres produits, on retrouve surtout du sucrose (composé de glucose et de fructose liés l'un à l'autre) ou, comme dans le miel, un mélange moitié-moitié de glucose et de fructose. Dans les jus de fruits, qui sont ici au bas de la liste, il peut y avoir dans certains cas plus de fructose que de glucose ou de sucrose. L'effet sur la glycémie est donc moins important.

Outre les bonbons clairs, d'autres confiseries faites surtout de sucres peuvent être de bons choix pour traiter l'hypoglycémie. On peut utiliser par exemple les menthes farcies, qui se mastiquent et s'avalent plus facilement que les bonbons durs. L'important est de vérifier dans le tableau de valeur nutritive de l'étiquette la quantité de bonbons nécessaire pour fournir 15 grammes de glucides, quantité qui peut varier d'une marque à une autre.

Les confiseries qui contiennent des matières grasses (ex.: chocolats, caramels) sont de moins bons choix, en raison de la présence des lipides qui retardent leur digestion. C'est un peu la même chose pour les bonbons en gelée (ex.: les petits oursons, ou les «vers de terre» tellement appétissants!), qui contiennent des ingrédients pouvant retarder l'effet des sucres sur la glycémie.

Quant au lait, qui contient 12 grammes de sucres par 250 ml, ce n'est pas non plus une boisson de premier choix pour traiter l'hypoglycémie. D'une part, il ne contient pas que des glucides (il renferme aussi des protéines, ainsi que des matières grasses – à moins qu'il ne soit écrémé) et, d'autre part, ses glucides sont sous forme de lactose, un sucre qui a beaucoup moins d'effet que le glucose sur la glycémie.

Si la personne diabétique en hypoglycémie est un jeune enfant qui refuse les boissons ou les aliments énumérés plus haut, d'autres aliments concentrés en glucides peuvent être envisagés. Par exemple, on peut lui offrir 2 ou 3 biscuits secs sucrés ou gaufrettes à la vanille, ou encore une miniboîte de 14 grammes de raisins secs qui contient 11 grammes de glucides.

Ne pas sur-traiter

L'hypoglycémie est une situation stressante, aucun doute là-dessus! Et quand la personne diabétique se sent «très basse», et qu'en plus elle est affamée, la tentation est forte d'avaler beaucoup plus que les quantités d'aliments ou de boissons contenant les 10, 15 ou 20 grammes de glucides requis pour corriger son hypoglycémie.

Bien que ce ne soit pas facile, il faut vraiment essayer de résister à la tentation, car le fait de sur-traiter l'hypoglycémie peut facilement entraîner une hyperglycémie qu'il faudra traiter par la suite, et un cercle vicieux hyper-hypo risque de s'installer.

En plus, même si on ne sur-traite pas, une hyperglycémie «de rebond» peut aussi survenir quelque temps après l'hypoglycémie! La raison: les hormones antagonistes de l'insuline (dont l'adrénaline) auront fini par faire effet, en stimulant la dégradation du glycogène et la production de nouveau glucose par le foie. Recette infaillible pour faire augmenter la glycémie!

Il est donc très important de suivre les directives au moment de l'hypoglycémie: ne prendre que la quantité requise de glucides, attendre 15 minutes et vérifier de nouveau la glycémie. Parfois, c'est plus facile à respecter en utilisant les comprimés commerciaux de glucose (qui ne sont pas particulièrement appétissants) qu'en allant vers les boissons sucrées ou les bonbons, auxquels il est plus difficile de résister.

Une fois l'hypoglycémie corrigée

Même quand la glycémie est revenue à la normale, il faut demeurer vigilant. Cela est particulièrement vrai quand l'hypoglycémie est due à une trop forte dose d'une insuline à action intermédiaire: comme il en reste certainement en activité dans le corps, d'autres épisodes d'hypoglycémie peuvent survenir.

Les mesures à prendre pour prévenir la répétition des hypoglycémies sont les suivantes.

✓ Vérifier fréquemment la glycémie.

✓ Ne pas «déduire» les grammes de glucides utilisés pour traiter l'hypoglycémie des quantités allouées dans le plan d'alimentation. Par exemple, si l'hypoglycémie est survenue à 14 h 30 et qu'elle a été traitée efficacement avec 15 grammes de sucres, il faut quand même consommer la collation prévue à 15 heures, avec toute la quantité de glucides qu'elle doit contenir.

✓ Une fois l'hypoglycémie corrigée, si le prochain repas ou la prochaine collation est dans plus d'une heure, il est recommandé de prendre une collation comprenant 15 grammes de glucides et une source de protéines.

Pour cette collation additionnelle, les 15 grammes de glucides n'ont pas besoin d'être sous forme de sucres concentrés. Ça peut être le bon moment pour un grand verre de lait, qui fournit à la fois les glucides et les protéines nécessaires!

La «trousse d'hypo»

Comme l'hypoglycémie peut survenir n'importe quand et surtout n'importe où, il est important que la personne diabétique ait **toujours à portée de la main** ce qu'il faut pour se traiter en cas de besoin. Il est donc judicieux de se préparer une ou des «trousses d'hypo». Le contenu peut varier, allant du strict minimum (15 grammes de glucides) à un éventail varié de produits ou d'aliments permettant autant de traiter l'hypoglycémie que de fournir la collation subséquente.

Pour les jeunes enfants diabétiques, il est particulièrement important d'avoir des trousses bien garnies. Les adolescents diabétiques, de leur côté, sont souvent réticents à l'idée de se promener avec quoi que ce soit qui proclame clairement leur condition. La petite boîte à lunch pleine de comprimés de glucose ou de boîtes de jus, très peu pour eux. Mais de grâce, qu'ils aient toujours au moins un paquet de LifeSavers[MD] dans leurs poches!

Pour les personnes diabétiques et leurs proches, c'est une bonne idée de toujours garder un paquet de comprimés de glucose dans l'auto, ainsi que sur soi ou dans son sac à main.

À l'école, au travail, ou lors des voyages, on peut mettre par exemple dans les trousses d'hypo :

- des comprimés de glucose
- des boîtes à boire de jus de fruits ou de Gatorade^{MD}, ou des sachets de Kool-Aid Sport^{MD}
- des biscuits secs emballés
- des petites boîtes de raisins secs
- des aliments protéiques ne nécessitant pas de réfrigération

Ce dernier élément est parfois le plus compliqué. Les principaux aliments protéiques sont les viandes et leurs substituts. Mais, quand on n'a pas accès à un réfrigérateur, la tranche de jambon, l'œuf dur ou le morceau de fromage ne sont pas des choix très indiqués !

Certains gardent dans leur trousse d'hypo des produits alimentaires comme les minicraquelins « sandwich » au beurre d'arachides ou au fromage fondu, mais ces produits ne contiennent que très peu de protéines par portion, 2 ou 3 grammes tout au plus. C'est la même chose pour les petites barquettes préemballées (ex. : Handi-Snack^{MD}) contenant quelques craquelins d'un côté et du fromage à tartiner de l'autre, qui fournissent rarement plus de 3 grammes de protéines par portion.

Comme sources de protéines plus intéressantes, on pourrait plutôt se tourner vers les noix ou les arachides (8 grammes de protéines par portion de 30 grammes), ou encore vers les boîtes à boire de lait UHT Grand Pré^{MD} qui se conservent plusieurs mois à température ambiante. Le contenant de 250 ml de lait nature fournit 12 grammes de glucides et 8 grammes de protéines, et la même quantité de lait aromatisé (fraises, chocolat ou capuccino) fournit pour sa part 8 grammes de protéines et 20 grammes de glucides.

Prévenir l'hypoglycémie

Quand le diabète de type 1 est traité de façon intensive, il est à peu près impossible de réduire à zéro le risque d'hypoglycémie. Mais peut-on au moins diminuer ce risque? Chez plusieurs personnes diabétiques, oui. Et les mesures à prendre vont varier en fonction des causes possibles d'hypoglycémie.

> Dans ce livre, nous ne traiterons pas de la prévention des hypoglycémies liées aux problèmes d'administration de l'insuline. Les personnes diabétiques sont invitées à se référer à leur médecin traitant pour discuter de ces aspects. Ici, il sera plutôt question de la prévention des hypoglycémies par des mesures d'ordre alimentaire.

Respecter le plan d'alimentation

La première mesure à prendre pour prévenir l'hypoglycémie, et la plus évidente, est de consommer toute la quantité de glucides prévue dans son plan d'alimentation. Ainsi, les personnes diabétiques suivant un plan fondé sur un système d'équivalents ne doivent omettre aucun échange de Féculents, de Fruits, de Lait ou d'Aliments avec sucre ajouté. Celles qui pratiquent l'approche simplifiée du calcul des glucides doivent s'assurer que tous leurs repas et collations contiennent les quantités de glucides prévues, à 5 grammes près. Enfin, les personnes qui sont au niveau avancé du calcul des glucides doivent être particulièrement vigilantes pour appliquer les bons ratios insuline / glucides, et décoder correctement les tableaux de valeur nutritive des étiquettes des produits alimentaires.

Tout ça, c'est bien beau en théorie, mais on sait bien que dans la vraie vie, surtout avec de jeunes enfants diabétiques, il n'est pas toujours évident que les quantités prévues de glucides soient bel et bien consommées à chaque repas et collation.

La solution dans un tel cas? Le plan B! C'est-à-dire de toujours prévoir d'autres aliments à offrir à l'enfant que ceux qui sont au menu. Par exemple, s'il ne veut pas de ses nouilles au thon, peut-être sera-t-il d'accord pour un sandwich au poulet ou une pizza-pochette. S'il ne semble vraiment pas en appétit, omettre le plat principal et lui offrir un dessert plus riche en glucides peut être envisagé de temps en temps.

Si l'enfant est systématiquement difficile à satisfaire et refuse souvent de manger, il est possible de modifier le protocole d'administration de l'insuline (ex.: séparer la dose du repas en deux injections ou bolus, avant et après; donner l'Humalog[MD] après le repas plutôt qu'avant). Il est important d'en discuter avec son médecin. On peut aussi discuter avec sa diététiste de stratégies personnalisées pour l'amener à s'alimenter plus facilement.

Ajuster l'apport alimentaire en fonction de l'activité physique

C'est tellement important que nous y consacrerons tout le prochain chapitre!

Ajuster la composition de la collation de soirée

L'hypoglycémie est toujours préoccupante, mais quand elle survient la nuit c'est encore pire. Malheureusement, c'est loin d'être un phénomène rare ou isolé. La plupart des personnes diabétiques traitées par injections multiples subissent régulièrement des hypoglycémies nocturnes, même si elles ne s'en rendent pas toujours compte. Plusieurs études dans lesquelles on surveillait l'évolution de la glycémie nocturne ont rapporté qu'au cours d'une seule nuit environ 30% des personnes diabétiques étaient sujettes à au moins un épisode d'hypoglycémie. En outre, plus de la moitié des personnes ne se réveillaient même pas au moment de l'hypoglycémie. Chez les enfants diabétiques, la fréquence des hypoglycémies nocturnes serait encore plus grande. Et même si la plupart de ces hypoglycémies ne sont pas sévères, elles peuvent avoir des conséquences sur l'humeur et la concentration en classe le jour d'après. Rien de très agréable!

Pourquoi le risque d'hypoglycémie est-il encore plus grand la nuit que le jour? Pour le comprendre, il faut faire un retour sur certains concepts présentés au chapitre 1.

Brièvement, rappelons que, pendant la nuit, l'organisme est en état de jeûne. Ce n'est pas le moment où il se constitue des réserves de glycogène, mais plutôt le moment où il a besoin de les utiliser, et même de produire du nouveau glucose dans le foie si cela est nécessaire pour maintenir la glycémie. Pour ces raisons, chez un non-diabétique, la sécrétion d'insuline par le pancréas est à son plus bas entre minuit et quatre heures du matin, ce qui permet aux autres hormones (dont le glucagon, aussi sécrété par le pancréas) de bien faire leur travail.

Chez une personne diabétique, l'ajustement hormonal ne se fait pas aussi bien. Même si une collation a été prise en soirée, il y a longtemps que le glucose alimentaire est fini d'absorber lorsqu'arrive le milieu de la nuit. Le glucose sanguin commence à se faire rare, mais la baisse de glycémie ne parvient pas à déclencher la sécrétion de glucagon qui pourrait aider à mettre du nouveau glucose en circulation. Pire encore: l'insuline à action intermédiaire injectée en soirée est encore très active. Résultat: la glycémie continue de baisser, et atteint souvent le seuil de l'hypoglycémie. Ne pas donner d'insuline à action intermédiaire le soir? Ce n'est pas la solution, car alors la glycémie se mettrait à monter de façon vertigineuse.

Comme c'est souvent le cas, l'ajustement des doses d'insuline pour la nuit relève du grand art. Un peu trop, et l'hypoglycémie menace. Pas assez, et c'est l'hyperglycémie matinale à coup sûr.

Heureusement, il existe quelques stratégies visant l'ajustement de la collation en soirée qui, même si elles ne sont pas infaillibles, peuvent aider à prévenir l'hypoglycémie nocturne.

La fécule de maïs

L'hypoglycémie survient souvent la nuit non pas parce que la glycémie est trop faible en soirée, mais plutôt parce qu'elle ne parvient pas à être maintenue assez longtemps aux bons niveaux.

Une solution pour maintenir la glycémie peut donc être d'inclure lors de la dernière prise alimentaire de la journée, c'est-à-dire à la collation en soirée, une source de glucides qui sera digérée et absorbée très lentement.

On l'a souvent mentionné, les fibres et les matières grasses sont deux constituants alimentaires qui peuvent retarder la digestion et l'absorption des glucides. Mais les études ont montré que le délai qu'elles engendrent excède rarement quelques heures. Dans le cas présent, elles sont donc peu utiles.

Par contre, d'autres études ont montré que les amidons crus (c'est-à-dire non cuits) sont digérés très lentement, et que le glucose qu'ils finissent par libérer peut continuer d'être absorbé plusieurs heures après leur consommation.

Il n'en suffisait pas plus pour penser à la fécule de maïs! Contrairement à la farine, qui contient de l'amidon mais également des protéines, la fécule est de l'amidon pur. En d'autres mots, une chaîne d'unités de glucose qui n'attend que d'être digérée dans l'intestin par l'amylase. Mais, non cuite, elle risque d'attendre très longtemps. En effet, pour être rapidement digérés par l'amylase, les amidons (de céréales, de pommes de terre et de légumineuses) doivent subir une transformation chimique qu'on appelle la «gélatinisation», qui se fait naturellement lors d'une cuisson en milieu humide. Non gélatinisé, l'amidon sera quand même digéré, mais ce sera long, très long…

Aux personnes diabétiques qui sont sujettes aux hypoglycémies nocturnes, on peut suggérer d'inclure dans la collation de soirée environ le quart des glucides sous forme d'amidon cru. En termes pratiques, elles peuvent par exemple dissoudre 1 cuillerée à thé (5 ml) de fécule de maïs dans un verre de lait, ou encore dans un yogourt. L'effet sur le goût et la texture est presque imperceptible. Cette stratégie très simple peut être efficace dans plusieurs cas.

Les protéines alimentaires

Une seconde stratégie d'ajustement des collations de soirée a été proposée plus récemment. Elle vise non seulement à contrer l'hypoglycémie nocturne, mais également à prévenir l'hyperglycémie matinale. Car s'il est appréciable de ne pas faire d'hypoglycémie la nuit, il l'est presque autant de se lever avec une glycémie à 7 plutôt qu'à 15 !

La stratégie d'ajustement se résume de la façon suivante.

✓ Si la glycémie mesurée avant la collation de soirée est plus basse que les valeurs cibles* (mais pas en bas de 4, dans lequel cas il faudrait d'abord traiter l'hypoglycémie), consommer une collation contenant plus de protéines et moins de glucides que la collation habituelle.

✓ Si la glycémie mesurée avant la collation de soirée est dans les valeurs cibles*, consommer la collation habituelle.

✓ Si la glycémie mesurée avant la collation de soirée est plus élevée que les valeurs cibles*, consommer une collation plus faible en calories que la collation habituelle.

Et quelle est la collation habituelle? Celle-ci aussi peut varier d'une personne à une autre. Cependant, deux types de collation du soir sont souvent recommandées: 2 échanges de Féculents et 1 échange de Viandes (soit 30 grammes de glucides et 8 grammes de protéines), ou 1 échange de Féculents et 1 échange de Lait (soit 27 grammes de glucides et 8 grammes de protéines).

---

* Quelles sont les valeurs cibles? Elles doivent être définies avec l'équipe de soins pour chaque personne diabétique. Pour une, ce pourrait être entre 5 et 10 mmol/L, pour une autre, entre 6 et 12. Tout dépend de l'âge et de l'histoire personnelle d'hypoglycémies nocturnes.

Dans les cas où la glycémie est dans les valeurs cibles ou au-dessus, la stratégie semble logique. Mais elle est plus surprenante, du moins de prime abord, dans les cas où la glycémie est basse. On n'est déjà pas très au-dessus des valeurs d'hypoglycémie, et au lieu d'augmenter les glucides on les diminue? Et au profit des protéines qui n'ont pas d'effet rapide sur la glycémie?

Et pourtant, c'est logique aussi. Il faut comprendre qu'on utilise une autre approche que celle de la fécule de maïs, avec laquelle on cherche à maintenir le plus longtemps possible l'absorption de glucose d'origine alimentaire. Avec cette deuxième approche, on vise plutôt à favoriser la mobilisation du glycogène et la production de nouveau glucose par le foie au moment où le risque d'hypoglycémie est le plus élevé, c'est-à-dire plusieurs heures après la collation de soirée. Et quels constituants alimentaires peuvent nous aider en ce sens? Les protéines, évidemment!

Cela repose sur deux mécanismes différents. D'une part, et nous l'avons déjà mentionné au cours de chapitres précédents, les protéines sont digérées et absorbées sous forme d'acides aminés, dont certains peuvent être utilisés pour la production de nouveau glucose par le foie. Même si l'effet sur la glycémie n'est pas rapidement détectable, cette voie métabolique peut s'avérer très utile en milieu de nuit, quand la glycémie se met à baisser.

Le second mécanisme est différent. On en a parlé beaucoup jusqu'ici, le glucagon sécrété par le pancréas est une défense naturelle de première ligne contre l'hypoglycémie. Malheureusement, au bout d'un certain temps, le pancréas des personnes diabétiques perd sa capacité de sécréter du glucagon en réaction à une baisse de glycémie. Mais, et c'est ici que les protéines alimentaires deviennent très importantes, certains acides aminés continuent d'être des métabolites qui peuvent stimuler la sécrétion du glucagon. Donc, s'ils sont en quantités suffisantes, les acides aminés issus des protéines alimentaires peuvent aider à restaurer cette ligne de défense contre l'hypoglycémie. Très utile aussi en milieu de nuit!

**Est-ce qu'on ne pourrait pas juste augmenter les protéines,
sans diminuer les glucides?**

On le pourrait aussi, toujours dans le but de prévenir l'hypoglycémie. Par contre, on augmenterait les risques d'hyperglycémie matinale, et on ajouterait aussi pas mal de calories superflues dans la collation de soirée. Chez certaines personnes, c'est sans conséquence. Pour d'autres qui ont plus de difficulté à maintenir un poids santé, c'est un peu plus préoccupant!

Concrètement, des collations réduites en glucides et plus riches en protéines, ce pourrait être, en termes d'équivalents:

- ❖ 1 échange de Féculents et 2-3 échanges de Viandes et substituts
- ❖ 1 échange de Lait et 1-2 échanges de Viandes et substituts
- ❖ 1 échange de Fruits et 1-2 échanges de Viandes et substituts

Ou en termes d'aliments:

- ❖ 3-4 biscuits soda et 60 g de fromage mozzarella partiellement écrémé
- ❖ 175 ml de yogourt nature et 40 g d'arachides grillées à sec
- ❖ 125 ml de salade de fruits en conserve (égouttée) mélangée à 125 ml de fromage cottage

Pour enrichir la collation en protéines, on peut aussi utiliser certains suppléments commerciaux (ex.: concentrés de protéines laitières ou de protéines de soya) vendus en pharmacie ou dans les boutiques d'aliments pour sportifs ou d'aliments naturels. Une cuillerée à table de concentré contient environ la même quantité de protéines que 2 échanges de Viandes et substituts, et peut facilement se mélanger à un verre de lait ou à un yogourt.

Conclusion

L'hypoglycémie, qu'elle survienne le jour ou la nuit, est un désagrément réel dans la vie des personnes diabétiques de type 1 et de leurs proches. L'insulinothérapie intensive à plusieurs injections par jour augmente le risque d'hypoglycémie, mais si l'on souhaite éviter les complications à long terme, il faut accepter de composer avec ce risque.

Plus on comprend les causes de l'hypoglycémie, mieux on peut la prévenir et la traiter. Les aliments peuvent être des alliés précieux; il s'agit de choisir les bons!

CHAPITRE 9

Les ajustements alimentaires en fonction de l'activité physique

Le sport, c'est la santé! C'est vrai autant, sinon plus, pour les personnes diabétiques que pour les autres. Mais il y a sport et sport. Bien que des athlètes diabétiques se soient distingués aussi bien dans le sport professionnel que dans les épreuves olympiques, la plupart des personnes atteintes de diabète de type 1 ont des objectifs plus modestes. Elles pratiquent leurs activités sportives de façon moins intense et, le plus souvent, de façon moins régulière que les athlètes accomplis.

C'est en particulier ce caractère irrégulier (ou pas toujours planifié) de la pratique d'activité physique qui rend nécessaires des ajustements ponctuels dans le plan d'alimentation des personnes diabétiques de type 1, lorsqu'elles s'adonnent à un exercice ou à un autre.

Dans ce chapitre, nous verrons d'abord pourquoi il est important d'être physiquement actif lorsqu'on est atteint de diabète. Ensuite, après avoir décrit ce qui se passe dans l'organisme d'une personne diabétique pendant et après l'activité physique, nous expliquerons les stratégies alimentaires qui peuvent être utiles au moment de l'exercice, ainsi que dans les heures qui suivent. Tout cela, bien sûr, pour éviter qu'une hypoglycémie malvenue ne vienne gâcher le plaisir procuré par l'exercice!

Être physiquement actif, qu'est-ce que ça rapporte?

Partant du principe général que les aliments font augmenter la glycémie alors que l'insuline et l'activité physique la font diminuer, on a longtemps pensé que l'exercice était un moyen de choix pour améliorer le contrôle métabolique des personnes diabétiques de type 1. Eh bien, on n'avait pas tout à fait raison !

Comme on le verra un peu plus loin, c'est vrai que l'activité physique est souvent associée à une baisse de la glycémie. Mais c'est aussi vrai que, dans bien des cas, la glycémie peut à l'inverse s'élever lorsqu'une personne diabétique traitée à l'insuline fait de l'exercice. En fait, un certain nombre d'études cliniques ont montré que, dans le diabète de type 1, l'activité physique a, de façon générale, peu d'effet sur les valeurs d'hémoglobine glycosylée.

Alors pourquoi est-il important de faire de l'exercice pour une personne diabétique de type 1 ? Les raisons sont encore très nombreuses. En particulier, la pratique régulière d'activité physique a un effet très positif sur la santé cardiovasculaire : elle contribue à diminuer la tension artérielle et les niveaux de lipides sanguins, et elle renforce le muscle cardiaque.

Saviez-vous que, dans le courant de leur vie, les personnes diabétiques risquent plus de développer des complications cardiovasculaires que de souffrir d'atteintes aux yeux, aux reins ou aux nerfs ? Voilà donc une excellente raison de faire de l'exercice : pour garder son cœur en santé !

D'autres bénéfices tout aussi tangibles sont associés à l'activité physique.

✓ L'exercice favorise un bien-être physique général.

✓ Il donne de la vigueur, et aide à maintenir un poids santé.

✓ Il contribue aussi au dépassement personnel et à l'estime de soi.

✓ La pratique du sport permet de développer ses habiletés physiques.

✓ Les sports d'équipe aident à favoriser l'appartenance à un groupe et à développer la confiance en soi.

Bref, l'activité physique s'accompagne de plusieurs récompenses dont il serait dommage de se passer. Et pour les personnes diabétiques comme pour le reste de la population, c'est une excellente idée que de suivre le mot d'ordre des experts : 30 minutes d'activité modérée par jour, la plupart des jours de la semaine !

> Pour conserver le caractère agréable de l'exercice, et aussi parce qu'il n'a pas nécessairement tant d'effet sur le contrôle glycémique des personnes diabétiques de type 1, il est très important de ne jamais se servir de l'activité physique comme d'une « punition » de l'hyperglycémie. Les enfants diabétiques, en particulier, risqueraient de développer une aversion envers l'exercice, ce qui serait très compréhensible mais bien malheureux !

Est-ce que tous les types d'activités physiques conviennent aux personnes diabétiques ?

Comme on le sait, il y a toutes sortes d'activités physiques, des plus légères aux plus vigoureuses. Certaines font appel surtout à la force musculaire, d'autres sont plus exigeantes pour le système cardiorespiratoire.

Bien qu'on considère généralement que les personnes diabétiques de type 1 jeunes et ayant un bon contrôle métabolique peuvent pratiquer à peu près n'importe quel type d'activité physique, il est toujours préférable de consulter son équipe de soins avant de commencer un programme d'entraînement, quel que soit son âge.

Le choix des exercices et le niveau d'intensité doivent être adaptés à la condition particulière de chacun, mais il est important de retenir aussi que la pratique sécuritaire de l'activité physique est essentielle pour toutes les personnes diabétiques. Même si celles-ci ne sont pas nécessairement plus sujettes aux blessures que les non-diabétiques, les conséquences peuvent être plus graves. Par exemple, les infections à la suite de blessures sont plus courantes chez les personnes diabétiques, en raison de la glycémie plus élevée qui interfère avec les processus normaux de guérison.

Il faut donc être spécialement prudent avec le diabète de type 1, tant dans le choix de l'activité physique que dans la façon dont on la pratique.

Les variations glycémiques pendant l'activité physique

On s'en doute bien, la glycémie ne se comporte pas de la même façon pendant l'exercice chez les personnes non diabétiques et chez les diabétiques de type 1. Globalement, on peut dire que s'installent chez les premières des changements hormonaux qui maintiennent la glycémie à un niveau normal pendant toute la durée de l'activité physique. Chez les secondes, la glycémie peut aussi bien s'élever que chuter, et pas seulement durant l'activité mais aussi dans les heures qui la suivent.

Ce qui se passe durant l'exercice chez une personne non diabétique

Lorsqu'ils sont sollicités par l'activité physique, les muscles ont besoin de plus d'énergie. Celle-ci peut être extraite de trois « carburants » : le glycogène musculaire, les acides gras et le glucose sanguin.

C'est d'abord le glycogène qui est utilisé. Ensuite, les cellules musculaires se mettent à capter plus de glucose sanguin. Cela entraîne une diminution de la glycémie, qui à son tour amène les cellules bêta du pancréas à sécréter moins d'insuline et plus de glucagon. Dans certains types d'activités physiques, il peut y avoir aussi une sécrétion d'adrénaline dans l'organisme. Tous ces changements hormonaux permettent au foie de dégrader ses propres réserves de glycogène et de produire du nouveau glucose, qui est libéré dans la circulation sanguine pour aller approvisionner les muscles. La baisse d'insuline favorise aussi la dégradation du tissu adipeux en acides gras, qui peuvent également fournir de l'énergie aux cellules des muscles.

Notons que, pendant toute la durée de l'exercice, la sécrétion d'insuline est réduite, mais jamais complètement arrêtée. Une quantité suffisante d'insuline est produite pour que le glucose du sang puisse être transporté dans les cellules musculaires.

Le traitement par pompe à insuline permet des ajustements fins dans le débit de perfusion de l'insuline en fonction de l'activité physique, ce qui peut grandement aider à contrer les variations de glycémie. Mais la grande majorité des personnes diabétiques de type 1 sont traitées par injections multiples, et doivent composer avec le fait que l'insuline, une fois administrée, va agir aussi fort et aussi longtemps que son mode d'action le prévoit. C'est alors que l'exercice risque de compliquer les choses, et de provoquer soit une hypoglycémie, soit une hyperglycémie.

Comment une hypoglycémie peut-elle survenir lors de l'activité physique chez une personne diabétique de type 1 ?

Partons de la situation où la glycémie est à peu près normale avant l'exercice, et où l'insuline a été administrée selon les doses régulières et agit comme à l'habitude.

Tout comme chez la personne non diabétique, les cellules musculaires de la personne diabétique vont d'abord utiliser toutes leurs réserves de glycogène lors de l'activité physique. Ensuite, elles vont se mettre à capter le glucose du sang. Mais, comme les quantités d'insuline injectées ne peuvent pas être modifiées par une baisse de la glycémie et qu'elles continuent d'être à un niveau normal, sinon élevé dans l'organisme, le foie ne pourra pas venir à la rescousse en transférant du nouveau glucose dans le sang. La glycémie continuera de baisser, et atteindra possiblement le seuil de l'hypoglycémie. Celle-ci se produira alors pendant la période d'activité physique.

Mais un second risque d'hypoglycémie existe aussi : l'hypoglycémie « à retardement ». En effet, il n'est pas rare qu'un épisode d'hypoglycémie survienne dans les heures suivant l'activité physique, ou jusqu'à 18 à 24 heures après. Pourquoi ? C'est que les réserves de glycogène ont été vidées pendant l'exercice, et n'ont pas eu le temps d'être remplies à nouveau. Quand la glycémie se mettra à baisser au moment d'un pic d'action de l'insuline (par exemple durant la nuit au moment du pic de l'insuline intermédiaire injectée avant le coucher), les mécanismes de contre-régulation s'avéreront moins efficaces. La glycémie pourra s'abaisser plus facilement jusqu'au seuil de 4,0 mmol / L et même en dessous de cette valeur ; c'est à nouveau l'hypoglycémie.

Dans quelles conditions surviendra-t-il une hyperglycémie liée à l'exercice physique, plutôt qu'une hypoglycémie?

L'hyperglycémie peut arriver pour trois raisons.

D'abord, si l'exercice débute alors que la glycémie est déjà relativement élevée parce qu'il reste trop peu d'insuline active dans l'organisme, la glycémie risque plus de s'élever que de baisser. L'explication est double: d'une part, les niveaux d'insuline sont suffisamment faibles pour favoriser la libération de nouveau glucose du foie vers le sang et, d'autre part, ils ne sont pas assez élevés pour permettre au glucose d'être transporté dans les cellules musculaires. Donc la glycémie monte. Le problème qui survient alors est que les muscles sollicités par l'exercice ont toujours besoin d'énergie. Comme ils n'ont plus que les acides gras à se mettre sous la dent, ils se mettent à les dégrader de façon exagérée, en libérant du même coup des sous-produits: les cétones. Leur accumulation dans le sang entraîne une condition très dangereuse, l'acidocétose.

Le deuxième facteur qui peut provoquer une hyperglycémie pendant l'exercice est une forte libération d'adrénaline. Cela peut survenir par exemple au moment d'une compétition sportive, ou encore dès qu'une activité entraîne un certain stress (par exemple quand un joueur de l'équipe adverse s'enfuit avec la rondelle, ou quand notre propre équipe vient de marquer un but!). Quelle qu'en soit la cause, l'adrénaline a pour effet de mobiliser les réserves de glucose et de faire monter la glycémie.

Enfin, la troisième raison de l'hyperglycémie peut être la déshydratation. Rappelons-nous que la glycémie est une concentration: c'est la quantité de glucose dans le volume total du sang. Si l'organisme est en manque d'eau à cause d'une sudation importante, le volume de sang va baisser, et la glycémie va monter par voie de conséquence.

Encore une fois, rien n'est simple!

Que faut-il retenir ici?

Que, chez la personne non diabétique, la glycémie est régularisée sans problème pendant l'activité physique grâce à des ajustements hormonaux qui se mettent rapidement et naturellement en place.

Que, chez la personne diabétique de type 1, l'exercice peut entraîner soit des hypoglycémies, soit des hyperglycémies. C'est surtout l'équilibre entre l'action de l'insuline injectée et les réserves de glucose qui est en cause. Trop d'insuline : les réserves ne peuvent pas être utilisées, on risque l'hypoglycémie. Pas assez d'insuline : les réserves sont déversées dans le sang mais ne peuvent pas entrer dans les muscles, et c'est l'hyperglycémie, parfois accompagnée d'acidocétose.

Pour prévenir les variations à la baisse ou à la hausse de la glycémie durant l'activité physique, les personnes diabétiques peuvent procéder à des ajustements dans leur plan de traitement : des ajustements de l'insuline ou des ajustements alimentaires.

Ajuster l'insuline

En prévision d'activités physiques intenses de durée variable, ou encore d'activités modérées de longue durée, il peut être nécessaire de diminuer les doses d'insuline pour prévenir l'hypoglycémie. En effet, une même dose d'insuline fait diminuer davantage la glycémie pendant l'exercice que lorsque l'organisme est moins actif. Pourquoi ? C'est que l'activité physique augmente la vitesse de la circulation sanguine, et qu'une quantité donnée d'insuline aura donc le temps d'atteindre plus de cellules musculaires avant la fin de sa durée d'action. De plus, elle commencera à travailler plus vite, surtout si elle est injectée dans une partie du corps sollicitée par l'exercice.

Par ailleurs, pour éviter l'hyperglycémie et ses complications, il peut être nécessaire dans certaines circonstances non pas de diminuer les doses, mais au contraire de faire précéder l'exercice d'une quantité additionnelle d'insuline à action rapide ou ultra-rapide.

Pour s'assurer qu'elle apportera les bonnes modifications à son protocole d'injections, chaque personne diabétique doit se baser sur son expérience personnelle de variations de glycémie lors de diverses activités, et consulter son équipe de soins. Toutefois, les principes généraux suivants s'appliquent à la plupart des situations.

Avant l'exercice

➤ Si une réduction de dose est nécessaire en prévision d'une activité physique, il faut réduire l'insuline dont le pic d'action survient au cours de l'activité. *Exemple: chez une personne diabétique recevant au déjeuner une injection combinée d'insuline à action rapide et d'insuline à action intermédiaire, on réduira la dose de rapide si l'activité a lieu le matin, et la dose d'intermédiaire si l'activité est en après-midi. Si l'activité doit durer toute la journée (ex.: ski, randonnée…), on réduira les deux insulines.*

➤ Il faut éviter d'injecter l'insuline dans les membres qui seront sollicités par l'activité physique. *Exemple: éviter d'injecter dans la cuisse avant de faire du vélo, ou éviter une injection dans le bras avant une partie de tennis.*

➤ Si la glycémie est élevée (entre 14 et 16 mmol / L) mais qu'il n'y a pas de cétones, **et** que le pic d'action de l'insuline n'est pas encore atteint, l'activité peut être entreprise sans ajustement de dose. Toutefois, il faut vérifier régulièrement la glycémie en cours d'exercice pour s'assurer qu'elle ne s'élève pas davantage.

➤ Une glycémie supérieure à 16 mmol / L, sans cétones, peut nécessiter une dose additionnelle d'insuline à action rapide ou ultra-rapide avant le début de l'activité physique.

➤ Une glycémie supérieure à 14 mmol / L, avec cétones, nécessite une correction à l'aide de la dose appropriée d'insuline à action rapide ou ultra-rapide. Il faut éliminer les cétones avant d'entreprendre l'activité physique.

Après l'exercice

➤ Si une activité physique importante a eu lieu dans le courant de la journée, il peut être nécessaire de réduire les doses d'insuline au moment du souper ou du coucher. *Les effets hypoglycémiants peuvent parfois durer jusqu'à 18 à 24 heures après l'exercice, et ce, même si au moment de l'exercice la glycémie a eu tendance à s'élever plutôt qu'à diminuer.*

Il est essentiel de retenir que, même si l'activité physique peut diminuer les besoins en insuline, elle ne **remplace jamais l'insuline**. S'il y a un manque d'insuline dans l'organisme au moment de l'activité physique, c'est à coup sûr l'hyperglycémie et très probablement l'acidocétose qui vont s'installer.

Ajuster l'alimentation

Les recommandations générales

Lorsque l'activité physique est d'intensité faible, ou qu'elle est modérée mais dure moins d'une heure, il est souvent plus simple de procéder à des ajustements alimentaires qu'à des ajustements de l'insuline.

Également, certaines personnes diabétiques ne sont pas à l'aise avec l'idée de modifier leurs injections et préfèrent systématiquement augmenter leur apport alimentaire en glucides lorsqu'elles font de l'exercice, même s'il s'agit d'activités intenses. Dans d'autres cas, c'est parce que l'activité physique survient de façon imprévue que la dose d'insuline n'a pas été modifiée.

Enfin, il y a des situations où, même si les doses d'insuline ont été ajustées à la baisse, des ajustements alimentaires sont également nécessaires pour prévenir l'hypoglycémie.

Mais, quelle que soit la situation, il faut comprendre que, comme pour l'insuline, les modifications à apporter au plan d'alimentation en fonction de l'exercice ne sont pas rigides, systématiques ou identiques pour toutes les personnes diabétiques. Ici aussi, les meilleurs indicateurs des ajustements à faire sont l'expérience personnelle et les mesures fréquentes de la glycémie avant, pendant et après l'activité physique.

En fait, en matière d'ajustements alimentaires, seules les deux règles suivantes sont «universelles» pour les personnes traitées à l'insuline :

1) il faut consommer les quantités additionnelles de glucides nécessaires pour éviter l'hypoglycémie ;

2) il faut avoir facilement accès à des aliments glucidiques pendant et après l'activité physique.

L'importance de l'hydratation

On l'a mentionné un peu plus haut, la déshydratation peut être un facteur d'explication à l'hyperglycémie en cours d'exercice. Mais elle peut aussi avoir d'autres conséquences graves, notamment sur la fonction cardiaque. Pour ces raisons, il est absolument essentiel de bien s'hydrater, surtout si l'activité physique est pratiquée dans des conditions de chaleur importante.

Il est recommandé de :

- **s'hydrater adéquatement avant l'activité physique : consommer environ 500 ml (2 tasses) de liquide dans les 2 heures précédant l'exercice ;**
- **boire fréquemment au cours de l'activité physique, de façon à compenser les pertes dues à la sudation.**

Les suppléments de glucides

Quand les réserves corporelles de glucose sont basses et que l'insuline injectée est en pleine action, les glucides alimentaires sont sans contredit les meilleurs alliés des personnes diabétiques. C'est particulièrement vrai au moment d'entreprendre une activité physique. Et comment savoir si un supplément de glucides est requis ? En se basant sur la glycémie pré-exercice.

Il est recommandé de prendre un supplément de glucides si la glycémie est inférieure à 5,5 mmol / L au moment d'entreprendre l'activité physique.

Un supplément de l'ordre de 10 à 15 grammes de glucides est habituellement approprié. Bien entendu, si la mesure est inférieure à 4 mmol / L, la personne diabétique devra traiter son hypoglycémie et attendre d'être « revenue à la normale » avant de commencer toute activité physique. Elle devra ensuite être vigilante et mesurer fréquemment sa glycémie au cours de l'activité pour éviter un nouvel épisode.

En cours d'exercice, il peut être nécessaire de consommer à divers moments d'autres suppléments de 10 à 15 grammes de glucides. Tout dépend de la durée et de l'intensité de l'activité physique, de même que de la valeur de la glycémie pré-exercice.

Règle générale
- **Pour une activité de faible intensité (ex. : marche à moins de 4 km / h), aucun supplément additionnel n'est nécessaire.**
- **Pour une activité modérée (ex. : entraînement musculaire, marche rapide), un supplément additionnel est nécessaire toutes les heures.**
- **Pour une activité intense (ex. : danse aérobique, compétition sportive), un supplément additionnel est nécessaire toutes les 20 à 30 minutes.**

Évidemment, plus on fait de mesures de sa glycémie en cours d'exercice, mieux on voit comment elle varie. Si elle est à la baisse, le supplément est approprié. Si elle est stable ou légèrement en hausse, le supplément n'est pas nécessaire. Et si elle a beaucoup monté, il faut s'abstenir de l'aggraver par un supplément, et il serait aussi prudent de vérifier qu'il n'y a pas de cétones avant de poursuivre l'exercice.

Pour un guide plus détaillé des suppléments de glucides à consommer selon la glycémie pré-exercice et le type d'activité pratiquée, on peut se procurer à coût modique la *Roulette de l'activité physique,* un petit outil très utile publié par Diabète Québec. Voir la section Ressources à la fin du livre.

Les produits, boissons et aliments appropriés

Tout le monde le sait, les aliments « bourratifs » ne font pas très bon ménage avec l'exercice physique. Pour éviter d'avoir l'estomac trop rempli pendant l'activité, mieux vaut choisir comme suppléments de glucides des produits alimentaires qui s'avalent et se digèrent vite !

Voici quelques exemples de produits, aliments et boissons fournissant 10 à 15 grammes de glucides, et qu'on peut rapidement ingérer avant ou pendant l'activité physique :

- 3 ou 4 comprimés de Dex 4 [MD]
- 4 ou 5 comprimés de Dextrosol [MD]
- 15 à 20 grammes de fruits séchés
- 3 ou 4 biscuits secs (genre Petit beurre ou Thé social)
- 125 ml de jus de fruits
- Sachet de 200 ml de boisson Kool-Aid Sport [MD]
- 250 ml de boisson Gatorade [MD]

Les deux derniers exemples sont des boissons pour sportifs qui, en plus des glucides, fournissent de l'eau et des électrolytes très précieux pour prévenir la déshydratation ! Ce sont donc de bons choix comme suppléments de glucides. Par contre, la personne diabétique ne doit pas compter uniquement sur ces produits pour s'hydrater adéquatement : quand il fait chaud, une bouteille d'eau est aussi nécessaire pour compenser les pertes sans risquer de trop faire monter la glycémie.

Par ailleurs, si l'activité physique est d'intensité modérée mais d'assez longue durée (ex. : randonnée, ski alpin de détente), des fruits frais ou de petites barres de céréales peuvent aussi être de bons choix comme sources de glucides supplémentaires.

Détecter et traiter l'hypoglycémie en cours d'exercice

Les aliments et boissons que nous avons énumérés ci-dessus comme suppléments de glucides à ingestion rapide peuvent aussi être utiles au traitement d'une hypoglycémie qui survient en cours d'exercice. Il est donc essentiel d'en avoir au moins un à portée de la main ou, encore mieux, d'avoir avec soi sa «trousse d'hypoglycémie», telle que décrite au chapitre 8. Cela est vrai même si la glycémie n'était pas spécialement basse au moment de commencer l'activité, et qu'on ne pensait pas *a priori* avoir besoin de suppléments glucidiques en cours de route.

Comme l'activité physique est une situation qui comporte un risque particulièrement élevé d'hypoglycémie, il est essentiel d'en aviser les personnes concernées et de les avertir des mesures à prendre. Entre autres, les éducateurs physiques, les entraîneurs d'équipes sportives ou des centres de conditionnement qui ont à superviser des personnes diabétiques traitées à l'insuline doivent être sensibilisés à la reconnaissance des signes d'hypoglycémie, et savoir où se trouvent les réserves de sucre les plus proches!

Il faut aussi savoir que l'adrénaline peut parfois nous jouer de drôles de tours en cours d'exercice. Qu'elle soit sécrétée en réaction à une chute de glycémie ou en réponse au stress provoqué par l'activité, l'adrénaline risque de déclencher les mêmes symptômes : augmentation de la fréquence cardiaque, tremblements, etc. On peut donc se sentir en hypoglycémie, mais être en réalité stressé par l'exercice! Il est donc souhaitable de mesurer la glycémie avant d'avaler le glucose. Mais, si ce n'est pas possible, jouons de prudence et traitons, au cas où!

Les ajustements alimentaires après l'exercice

Comme on l'a expliqué, l'exercice physique a pour effet de diminuer ou de vider les réserves de glycogène et de rendre l'insuline plus active. Ces effets se font sentir même plusieurs heures après la fin de l'exercice. Pour ces raisons, il est important que la consommation alimentaire après l'exercice soit ajustée de façon à éviter les hypoglycémies «à retardement».

Nous le savons maintenant, non seulement les glucides mais également les protéines sont utiles pour prévenir l'hypoglycémie. Leurs actions combinées permettent d'une part de maintenir la glycémie et de stocker du glycogène après un repas, et d'autre part de favoriser la mobilisation du glycogène ainsi que la production de nouveau glucose par le foie lorsque la glycémie se met à baisser entre les repas ou pendant la nuit.

Après un exercice physique modéré ou intense, il est donc recommandé:

- **de prendre une collation additionnelle contenant des glucides et une source de protéines à la fin de l'exercice;**
- **de s'assurer de consommer à la collation du soir un peu plus de glucides et de protéines qu'à l'habitude (ex.: 15 g de glucides et 7-8 g de protéines de plus), surtout si la dose d'insuline à action intermédiaire n'a pas été ajustée à la baisse.**

Conclusion

Dans ce chapitre, nous avons fait la revue des facteurs qui peuvent expliquer les variations de la glycémie pendant et après l'exercice chez une personne diabétique de type 1. Nous avons aussi pris connaissance des ajustements du plan de traitement que l'activité physique peut nécessiter, entre autres des suppléments de glucides. Retenons qu'il est essentiel d'avoir toujours accès aux boissons ou aliments appropriés.

Mais rappelons-nous aussi que chaque personne diabétique est un cas unique, particulièrement en situation d'exercice. Il est donc très important qu'elle vérifie régulièrement sa glycémie lors des diverses activités qu'elle pratique, et qu'elle sache que l'expérience personnelle est la meilleure conseillère en matière d'ajustements !

CHAPITRE 10

Les situations particulières

Le diabète de type 1 n'est pas un long fleuve tranquille. C'est souvent une mer passablement agitée, qui nous ballotte d'un côté à l'autre sans trop de ménagements. Et pas question de sortir du bateau, ne serait-ce que pour une journée. Il faut vivre avec son diabète beau temps et mauvais temps, au travail comme en vacances, à Pâques comme à la Trinité!

C'est déjà tout un défi pour les personnes atteintes de diabète de type 1 d'apprendre à composer avec leur condition dans le quotidien «ordinaire». Mais qu'on le veuille ou non, les situations particulières se présentent aussi tôt ou tard. Qu'elles soient heureuses (ex. : le temps des fêtes, un voyage) ou malheureuses (ex. : les troubles d'alimentation à l'adolescence, les jours de maladie), il faut aussi savoir comment les «gérer», notamment sur le plan alimentaire.

Ce dernier chapitre ne prétend pas donner des solutions à chaque problème d'alimentation particulier qui peut survenir lors d'occasions spéciales dans la vie des diabétiques de type 1 et de leur famille. Il vise plutôt à fournir quelques conseils et pistes d'action pour adapter le plan d'alimentation en fonction des situations particulières les plus fréquentes. Car, tout en gardant toujours le cap sur un bon contrôle métabolique, le pilote du bateau doit aussi savoir comment corriger sa route les jours où le vent se met à souffler un peu plus fort!

Les situations particulières des jeunes diabétiques

Les fêtes d'enfants

Qu'il ait trois, sept ou dix ans, c'est toujours un grand événement dans la vie d'un enfant que d'être invité à une fête d'amis. Et quand c'est lui qui reçoit pour son anniversaire, le prestige est encore plus grand!

Les parents d'enfants diabétiques partagent la joie de leur enfant de participer à une telle fête. Mais ils ont aussi une certaine préoccupation. Ce qui les inquiète n'est pas tant le choix du cadeau, mais bien de savoir comment ils vont réussir à concilier le repas d'anniversaire avec le plan d'alimentation !

Voici quelques trucs qui peuvent être utiles.

Si l'enfant diabétique participe à une fête à l'extérieur

- Si les adultes responsables ne sont pas déjà au courant, les informer à l'avance que l'enfant est diabétique. Préciser que le diabète n'est pas une allergie alimentaire, que l'enfant peut manger des aliments sucrés, mais qu'il sera important de savoir tout ce qu'il aura mangé au cours de la fête pour ajuster son traitement.

- Aviser aussi les adultes responsables du risque d'hypoglycémie, les informer des principaux symptômes, prévoir de quoi traiter un éventuel épisode (ex. : comprimés de glucose).

- Penser à fournir une boisson faible en glucides pour l'enfant diabétique (ex. : gourde remplie de Crystal Léger^{MD}, cannette de boisson gazeuse diète).

- Toujours à l'avance, s'informer de l'heure à laquelle sera servi le repas ou lunch de la fête. Cela sera utile pour faire d'éventuels ajustements aux doses d'insuline ou à la composition du repas que l'enfant prendra à la maison avant de se rendre à la fête.

Prenons par exemple le cas d'un enfant diabétique qui reçoit trois injections par jour, dont celle du matin qui contient l'insuline à action intermédiaire pour couvrir les apports alimentaires du dîner et de la collation de l'après-midi. Si l'enfant est invité à une fête en après-midi et qu'on sait que le lunch et le gâteau seront servis vers 15 h, on peut ce jour-là diminuer la teneur en glucides du dîner, sachant que la collation sera évidemment plus substantielle qu'à l'habitude !

Si la fête est organisée à la maison

- Servir le repas de fête à l'heure normale du dîner ou du souper, plutôt qu'en après-midi.

- Offrir aux enfants (et pas seulement à l'enfant diabétique) des boissons faibles en glucides et amusantes, par exemple :
  - mélange un tiers-deux tiers de jus de fruits tropicaux et de 7-up ^{MD} diète, avec un glaçon contenant une cerise au marasquin (bien rincée au préalable) ;
  - eaux minérales sans sucre aromatisées aux fruits (plusieurs marques sont offertes dans les supermarchés), dans lesquelles on ajoute quelques gouttes de colorant alimentaire ;
  - breuvage Crystal Léger ^{MD} auquel on ajoute des glaçons multicolores (préparés à l'avance en mettant de l'eau additionnée de colorants alimentaires dans le bac à glaçons).

- En guise de grignotines, offrir du maïs soufflé ou des arachides (vérifiez d'abord qu'il n'y a aucun ami allergique !), qui sont moins riches en glucides que les chips (croustilles).

- Au repas, outre les sandwichs ou minipizzas qui sont assez glucidiques, offrir aussi une variété d'aliments plus faibles en glucides. Par exemple :
  - des minibrochettes de cubes de fromage et de raisins frais ;
  - des crudités servis avec de la salsa, ou avec une trempette faite de crème sure et de mélange en sachet pour soupe à l'oignon ;
  - des petites saucisses cocktail sur cure-dents.

- Pour décorer le gâteau, choisir une garniture pas trop concentrée en sucres. Par exemple, le recouvrir de crème fouettée édulcorée au Splenda ^{MD}, colorée ou non avec du colorant alimentaire, et saupoudrer sur le dessus des minipaillettes de sucre multicolores. Cette option fournit beaucoup moins de glucides qu'un glaçage au sucre à la crème !

Même si on a un bon plan de match, il faut se faire à l'idée qu'au terme de la fête la glycémie de l'enfant diabétique risque d'être passablement élevée. Il faudra possiblement ajuster la prochaine dose d'insuline ou le prochain repas en conséquence !

La soirée d'Halloween

Diabète ou pas, il faut participer pleinement à l'Halloween, se déguiser et ramasser des friandises !

Ici encore, ce sont les parents plutôt que les enfants diabétiques qui vivent un certain stress à la perspective de la citrouille remplie de sucreries. Surtout quand c'est le premier Halloween après le diagnostic…

Mais l'expérience nous apprend qu'on peut finalement très bien gérer cette fête. Voici comment.

- À la maison, n'offrir (à l'enfant diabétique et aux autres !) que des **petites** gâteries, chacune à 15 grammes de glucides ou moins (ex. : miniboîtes de raisins secs, minitablettes de chocolat, petits sacs de maïs soufflé, barres Fruit-to-Go [MD]…).

- Au retour de sa tournée, faire avec l'enfant le tri des friandises reçues. Lui laisser les petites gâteries énumérées ci-dessus, ainsi que les bonbons qui « durent » longtemps (ex. : suçons, sucre d'orge). Mettre de côté les bonbons vites avalés (Kiss [MD], caramels…) et les friandises trop riches en glucides (ex. : grosses barres de chocolat). Proposer à l'enfant de lui « échanger » les sucreries mises de côté contre quelque chose de non alimentaire mais attrayant (par exemple une sortie au cinéma ou à la piscine, un petit bijou mode, une bande dessinée…).

- Permettre à l'enfant de manger quelques friandises le soir même de l'Halloween, en ajustant son insuline à action rapide. Pour le reste (qui sera gardé à la cuisine plutôt que dans la chambre de l'enfant), lui permettre d'en consommer en petites quantités à la fois, par exemple en substitution du dessert au repas du soir.

- Au bout d'une semaine ou deux, faire disparaître discrètement la citrouille…

Les sorties scolaires

Il arrive au moins une fois dans l'année scolaire que la classe d'un jeune diabétique fasse une sortie, éducative ou récréative. Les sorties sont parfois de courte durée, ou à proximité de l'école. Mais souvent aussi elles se font en autobus et durent toute la journée.

Bien sûr, il y a aussi les «classes vertes», qui peuvent durer deux ou trois jours. Pour ces cas particuliers, il est très important de se référer à son équipe de soins. S'il est possible au jeune diabétique de participer à l'expédition, les membres de l'équipe seront les mieux placés pour convenir avec le jeune et sa famille des mesures à prendre pour que tout se déroule sans anicroche.

Pour une sortie de quelques heures ou d'une journée, les précautions suivantes sont importantes:

- Il faut bien sûr apporter la «trousse d'hypoglycémie» (voir chapitre 8). Si c'est un adulte (enseignant, éducateur, accompagnateur) qui l'emporte, le jeune diabétique doit toujours avoir sur lui au moins des comprimés de glucose ou quelques bonbons durs.

- Si le jeune prend habituellement des collations au cours de la période pendant laquelle se déroule la sortie, il faut aussi emporter les aliments appropriés, et les consommer aux heures prévues pour les collations.

- Si la sortie implique une activité physique modérée ou intense, il faut aussi prévoir des suppléments de glucides en conséquence.

- Il faut s'assurer avant le départ que la sortie ne perturbera pas les heures habituelles des repas, surtout si le jeune a reçu le matin une dose d'insuline à action intermédiaire pour couvrir ses apports du dîner. S'il y a le moindre risque de retard, il serait sage d'emporter une boîte à lunch contenant ce qu'il faut pour remplacer le dîner au besoin. Essayer d'éviter les aliments périssables. Sinon, utiliser un contenant Thermos [MD] ou un *ice pack*.

Les camps de jour

L'été, plusieurs camps sont offerts aux jeunes, dans toutes les régions du Québec. Certains camps de vacances (le camp Carowanis dans la région de Montréal, le CEDEQ du lac Trois-Saumons plus près de Québec) peuvent accueillir les jeunes diabétiques pour des séjours d'une semaine ou plus. Les équipes de soins en diabète connaissent bien ces camps, et peuvent fournir tous les renseignements nécessaires aux personnes intéressées. Une fois sur place, aucune inquiétude à y avoir! Le personnel est formé et qualifié pour prodiguer tous les soins requis, jour et nuit. Notamment, on s'assure de respecter le plan d'alimentation propre à chaque campeur, ou de l'adapter au besoin.

Mais il y a aussi les camps de jour usuels que les jeunes diabétiques peuvent fréquenter. Si c'est le cas, il est bien sûr important de rencontrer à l'avance les responsables du camp pour les aviser de la situation particulière, et pour former les monitrices ou moniteurs concernés quant au fonctionnement du lecteur de glycémie, à la détection et au traitement d'une hypoglycémie, aux mesures à prendre en cas d'urgence, etc.

Sur le plan alimentaire, il faut surtout penser qu'au camp le jeune sera certainement beaucoup plus actif qu'à l'école ou à la maison. En conséquence, il aura probablement plus faim aussi, et il faudra le prévoir dans la préparation de son lunch et de ses collations. La révision à la hausse des quantités habituelles est particulièrement importante si les doses d'insuline ne sont pas réduites.

À prévoir aussi…

- Il est possible que les épisodes d'hypoglycémie soient plus fréquents. Il faut vérifier régulièrement que la trousse pour le traitement est toujours bien garnie.

- Quand on est pendant une bonne partie de la journée à l'extérieur et à la chaleur, on se déshydrate rapidement. S'assurer que des fontaines sont accessibles, sinon prévoir une grande bouteille d'eau tous les jours.

Les troubles de l'alimentation

Jusqu'ici, nous avons parlé de situations particulières agréables. Mais parfois certains jeunes diabétiques et leurs familles sont aussi aux prises avec des situations difficiles. C'est ce qui arrive quand des troubles de l'alimentation surviennent.

Ce qu'on voit le plus souvent chez l'enfant diabétique, surtout dans les semaines ou les mois qui suivent le début de la maladie, c'est un «trouble» assez répandu chez les jeunes enfants de façon générale: le refus de s'alimenter. La plupart des parents ont vu leur enfant manifester un tel refus à un moment ou à un autre, sans que son développement en semble compromis. Mais, quand il s'agit d'un enfant diabétique qui vient de recevoir son injection, le stress n'est pas du tout le même pour les parents, et l'enfant s'en rend bien compte! Il peut même vouloir en tirer un certain pouvoir, et exiger alors des aliments qu'il sait bien qu'on lui refuserait dans d'autres circonstances. Dans de telles situations, certaines stratégies peuvent être mises en place: tenter de prendre les repas dans un climat détendu, associer l'enfant à l'élaboration du menu ou à la préparation des mets, lui offrir des aliments sains mais plus attrayants pour lui, ajuster les doses ou l'horaire des injections d'insuline… Les membres de l'équipe de soins, notamment les pédiatres, les diététistes et les psychologues, pourront aussi prodiguer des conseils personnalisés, adaptés au cas de chaque enfant.

Les «vrais» troubles du comportement alimentaire sont les suivants.

✓ **L'anorexie mentale**, dans laquelle l'obsession d'être toujours plus mince conduit à une restriction alimentaire extrême. Les personnes atteintes peuvent aussi prendre des laxatifs ou se forcer à vomir, ou suivre une routine intense d'activité physique. Elles subissent une perte de poids importante.

✓ La **boulimie**, dans laquelle les personnes consomment une grande quantité de nourriture lors d'épisodes de compulsion alimentaire, et utilisent ensuite divers moyens pour débarrasser leur corps de l'excès de calories (se font vomir, utilisent des laxatifs ou des diurétiques, ou font exagérément de l'exercice). Ces personnes maintiennent un poids normal.

✓ La **compulsion**, qui ressemble à la boulimie, et qui est caractérisée d'épisodes où les personnes mangent une très grande quantité d'aliments d'une manière incontrôlée et compulsive (épisodes de rages alimentaires). Toutefois, les personnes qui souffrent de ce désordre n'utilisent pas de moyens pour se débarrasser du surplus d'aliments consommés. Les personnes compulsives ont souvent un excès de poids, parfois elles sont de poids normal.

Ces troubles peuvent toucher des personnes de tous les âges, mais ce sont le plus souvent les adolescentes qui en sont atteintes. Or, des études récentes menées au Canada ont rapporté que les troubles de l'alimentation (surtout la boulimie et la compulsion) étaient deux fois plus fréquents chez les adolescentes diabétiques de type 1 que chez les adolescentes non diabétiques. C'est une situation particulièrement grave et préoccupante.

Pourquoi les adolescentes diabétiques sont-elles particulièrement à risque? Divers facteurs seraient en cause.

D'abord, le traitement du diabète impose déjà une certaine restriction alimentaire, surtout lorsque des quantités quotidiennes sont prescrites dans le plan d'alimentation. Étant habituées à manger à heures fixes et en quantités fixes, les personnes diabétiques peuvent facilement en venir à ignorer les signaux corporels de faim et de satiété.

En deuxième lieu, les personnes diabétiques sont souvent en hypoglycémie, un état qui en soi peut déclencher des épisodes de rages alimentaires.

Enfin, des études ont démontré que l'insulinothérapie intensive est associée à un indice de masse corporelle (donc un poids) plus élevé. C'est vrai pour les personnes diabétiques de tout âge, les adolescentes comme les autres. Or, à l'adolescence, le culte de la minceur est souvent particulièrement fort, et un excès de poids peut être ressenti comme un obstacle important à l'acceptation par les pairs, apportant ainsi beaucoup d'insatisfaction.

Malheureusement, le diabète procure une méthode facile mais extrêmement dangereuse de perdre du poids, ou encore de maintenir son poids tout en s'adonnant à la compulsion alimentaire. Cette «méthode» est l'omission ou la réduction délibérée des doses d'insuline.

Lorsque le corps est en manque d'insuline, la glycémie est constamment très élevée, et tout le glucose qui ne peut être capté par les cellules est perdu dans l'urine. De plus, les acides gras deviennent le carburant préférentiel des muscles, ce qui produit une très forte quantité de cétones et provoque de l'acidocétose. Une perte de poids s'ensuit.

En plus des épisodes d'acidocétose, les troubles de l'alimentation chez les adolescentes diabétiques sont associés à un mauvais contrôle métabolique et à une survenue précoce des complications microvasculaires, surtout la rétinopathie.

Très inquiétant, tout cela! Mais qu'est-ce qu'on peut y faire?

Les troubles du comportement alimentaire doivent être traités par des spécialistes. Mais encore faut-il qu'ils soient détectés. Chez les adolescentes diabétiques, cela n'est pas toujours facile, d'autant plus qu'il y a rarement une perte de poids très significative. Mais il faut être vigilant, et soupçonner ces troubles chez celles dont l'hémoglobine glycosylée est très élevée, qui ont des épisodes répétés d'acidocétose, ou qui semblent avoir une préoccupation exagérée en regard du poids ou de l'apparence.

Toujours à l'adolescence, on peut aussi observer une certaine détérioration du contrôle métabolique, mais pour d'autres raisons.

D'abord, il y a les changements hormonaux qui rendent l'ajustement de l'insuline très difficile. Même avec plusieurs glycémies par jour, des doses de correction bien calculées et la meilleure volonté du monde pour ajuster les glucides à l'insuline, la glycémie atteint parfois des sommets troublants!

Mais il y a aussi le cas des adolescents qui se contentent de prendre les doses d'insuline prescrites, mais qui deviennent de moins en moins fidèles au suivi de leur plan d'alimentation et aux mesures de glycémie.

Ici encore, il y a des facteurs d'explication: le jeune arrive à un âge où il ne sent pas nécessairement sa maladie comme une menace sérieuse, il en a assez du carcan que le diabète lui impose, il veut manger comme les autres et ne pas passer son temps à tout calculer ou mesurer. Après plusieurs années de soumission, il est maintenant en réaction!

Mais il faut être attentif. Ne réagirait-il pas aussi au «fardeau» que ses parents lui ont transféré petit à petit? Si l'adolescent est devenu le seul responsable de ses mesures de glycémie, de ses calculs de glucides, de la préparation de ses repas ou de ses lunchs, c'est vrai que la tâche peut être devenue très lourde à porter. Pourquoi alors ne pas lui donner un *break* en partageant de nouveau ces responsabilités avec lui pendant quelque temps? Cela peut faire toute une différence!

Les jours de maladie

Pour poursuivre dans le registre des situations particulières désagréables, parlons maintenant des jours de maladie.

Ici, nous allons traiter uniquement des épisodes aigus de maladie, occasionnés par des infections, du stress ou des traumatismes physiques mineurs, et qui durent au plus quelques journées.

Pour une personne diabétique de type 1, la première chose à savoir est que ce type de maladie aiguë a presque toujours comme effet de faire **augmenter la glycémie**, et ce, **même si l'ingestion alimentaire est diminuée**. Pourquoi? D'abord en raison de la sécrétion des fameuses hormones de stress, qui ont un effet opposé à celui de l'insuline. Également, comme l'activité physique est habituellement restreinte lors des jours de maladie, l'insuline injectée a tendance à agir moins efficacement. Par conséquent, les besoins quotidiens en insuline sont le plus souvent accrus lors des épisodes de maladie. S'ils ne sont pas suffisamment comblés, l'acidocétose peut survenir très rapidement.

Donc, même si la personne diabétique mange sensiblement moins durant les jours de maladie, elle doit continuer à prendre son insuline selon les doses habituelles prescrites, ou l'ajuster selon les recommandations de son médecin. Elle ne doit jamais décider elle-même d'omettre une dose sous prétexte que son appétit est diminué par la maladie.

Les journées où elle est malade, il est essentiel que la personne diabétique vérifie de façon plus fréquente sa glycémie, et qu'elle vérifie également la présence de cétones dans son sang ou dans son urine. Ces deux mesures, glycémie et cétones, lui permettront (ainsi qu'à son équipe de soins si elle doit la contacter) d'ajuster adéquatement l'insulinothérapie. Dans certaines conditions (ex.: beaucoup de cétones, déshydratation importante...), il sera préférable que la personne diabétique se rende à l'hôpital.

Sur le plan alimentaire, quels ajustements peut-on faire à la maison lors des jours de maladie? Voici quelques directives générales.

- Dans les cas où la personne diabétique est simplement en repos au lit (par exemple en raison d'un traumatisme mineur), on estime qu'elle peut facilement restreindre son apport calorique d'un tiers, uniquement pour compenser l'inactivité physique.

- S'il s'agit d'une infection, la personne malade n'aura souvent pas très faim. Au lieu de manger des aliments solides, elle pourra consommer les glucides nécessaires au maintien de sa glycémie à partir d'aliments liquides ou semi-liquides. Si elle a pris les doses adéquates d'insuline, de 15 à 20 grammes de glucides toutes les 1-2 heures (ou de 10 à 15 grammes s'il s'agit d'un enfant) devraient suffire pour prévenir l'hypoglycémie.

- Si sa **glycémie est plutôt élevée**, elle doit prendre beaucoup de liquides, sous forme de boissons sans sucres ou faibles en sucres, par exemple :
  - eau ou eau minérale
  - boisson gazeuse diète
  - Crystal Léger[MD]
  - bouillon de poulet ou consommé de bœuf
  - soupe aux légumes
  - yogourt faible en glucides

- Si sa **glycémie tend à diminuer**, elle doit prendre de petites quantités à la fois de boissons ou d'aliments sucrés, par exemple :
  - jus de fruits
  - boissons gazeuses régulières
  - boissons pour sportifs (ex. : Gatorade[MD])
  - jello ordinaire
  - lait ou lait au chocolat (si bien tolérés)

- Si la maladie occasionne **des nausées ou des vomissements**, il est particulièrement important de vérifier les cétones et d'aviser l'équipe de soins s'ils sont modérés ou élevés. Dans le cas contraire, il faut vérifier régulièrement la glycémie et ajuster l'alimentation selon la mesure :

  ○ 10 mmol/L ou plus : prendre de petites gorgées de boissons sans sucre, si toléré.

  ○ Entre 5,7 et 10 mmol/L : prendre aux 20-30 minutes quelques gorgées de boissons sucrées. Des bonbons durs ou des sucettes glacées (*popsicles*) peuvent être mieux tolérés que les liquides.

  ○ 5,6 mmol/L ou moins : contacter l'équipe de soins, surtout si l'injection d'insuline a été faite peu de temps auparavant. Il peut être nécessaire de se rendre à l'hôpital pour recevoir une solution intraveineuse de glucose.

- Si la personne a la **diarrhée**, il est très important qu'elle soit rapidement réhydratée. L'eau seule n'est pas suffisante, car la diarrhée occasionne souvent aussi une perte d'électrolytes. De plus, elle empêche la digestion ou l'absorption de certains nutriments. Les meilleurs produits pour la réhydratation sont les formules commerciales qu'on peut se procurer en pharmacie, par exemple le Pedialyte^{MD} (en liquide ou en « sucettes » à congeler) ou le Gastrolyte^{MD} (en sachets de poudre à diluer dans de l'eau). En plus de l'eau et des électrolytes, ces solutions contiennent du glucose. Si le traitement à domicile n'est pas efficace et que la déshydratation ne peut être corrigée, il est recommandé de se rendre à l'hôpital.

D'autres boissons ou des « préparations maison » sont parfois utilisées dans le but de réhydrater la personne souffrant de diarrhée. Mais cela est moins approprié, car certains de ces produits peuvent même aggraver la condition. Il faut savoir que, l'infection qui occasionne la diarrhée a souvent comme effet de « décaper » la muqueuse intestinale, détruisant les cellules matures responsables de la digestion et de l'absorption. Ces cellules sont vite remplacées, mais par des cellules immatures qui ne contiennent pas ou peu de certaines enzymes digestives. En particulier, les enzymes qui servent à digérer les sucres (comme le sucrose, mais particulièrement le lactose) seront manquantes pendant un certain temps. N'étant pas digérés, les sucres ne pourront pas être absorbés, et leur présence dans l'intestin pourra même aggraver la diarrhée. Il faut aussi éviter les sucres-alcools, qui ont un effet laxatif même lorsque la personne n'est pas malade. Les produits qui en contiennent sont pour cette raison tout à fait déconseillés aux personnes souffrant de diarrhée.

Donc, toutes les boissons qui contiennent des sucres autres que le glucose sont moins efficaces dans les cas de diarrhée que les solutions commerciales mentionnées plus haut. Par exemple, les boissons gazeuses ordinaires et les boissons pour sportifs contiennent habituellement du sucrose, qui peut être moins bien digéré. Le jus de pomme est aussi à éviter, parce qu'il contient naturellement une certaine quantité de sorbitol. Enfin, les produits laitiers sont à éviter (ou à consommer en plus petites quantités, selon la tolérance) en raison du lactose qu'ils renferment. Il est même conseillé, dans les quelques jours suivant la fin de la diarrhée, d'utiliser de préférence du lait dans lequel le lactose a été prédigéré, par exemple les produits Lactaid [MD] ou Lacteeze [MD].

Les sorties au restaurant

Revenons maintenant aux occasions spéciales plus intéressantes, en disant d'abord quelques mots des sorties au restaurant.

Pour certaines personnes diabétiques, ces sorties sont si fréquentes qu'on ne peut même plus parler de situations particulières! Ces personnes ont appris à bien intégrer les repas du restaurant dans leur plan d'alimentation.

Pour d'autres, les sorties au restaurant se font plutôt à l'occasion d'un anniversaire, d'une rencontre entre amis, ou encore d'un événement spécial à souligner. Dans ces cas, il est plus tentant de faire quelques entorses au plan d'alimentation! Voici tout de même quelques conseils pour minimiser les effets sur la glycémie.

- Au restaurant, il est préférable de ne pas faire l'injection d'insuline à l'avance, car il y a souvent du retard dans le service. Il est préférable d'attendre l'arrivée du repas. Et si celui-ci contient des aliments gras (ex.: pizza, friture) qui retardent la digestion des glucides, il vaut même mieux faire l'injection environ 20 minutes après le début du repas ou encore à la fin du repas.

- Pour éviter les tentations inutiles, particulièrement pour un enfant diabétique, on peut demander à la personne qui fait le service de ne pas apporter la corbeille de pain avant que le repas soit servi. À moins, bien sûr, que l'injection soit déjà faite. Dans ce cas, le pain ou les craquelins seront bien utiles quand la glycémie commencera à baisser!

- Si on a commandé une boisson gazeuse diète, s'assurer au moment du service que c'est bien ce qu'on nous apporte. Pour les plus curieux, sachez que certains lecteurs de glycémie, par exemple l'Ascencia Elite de Bayer[MD], peuvent faire des mesures sur d'autres liquides que le sang. En déposant une goutte de boisson gazeuse sur la bandelette, on saura vite ce qu'il en est. Si c'est « Lo », c'est bien de la boisson diète, mais si c'est « Hi », c'est une boisson ordinaire!

- Ajuster le mieux possible la dose d'insuline à la quantité de glucides ingérée. Idéalement, fractionner la dose d'insuline en ne donnant la dernière partie qu'à la fin du repas, et même une heure après si celui-ci a été particulièrement copieux (comme la digestion se poursuit sur un temps sensiblement plus long quand l'estomac est très plein, il faut tenter d'ajuster la durée d'action de l'insuline en conséquence).

- Souvent, les chaînes de restaurants ont des tables de composition nutritionnelle des aliments qu'ils servent. Il ne faut pas hésiter à demander si cette information est disponible (voir aussi la section Ressources à la fin du livre).

- Dans la mesure du possible, privilégier les restaurants avec commande à la carte plutôt que les buffets. On a tendance à manger beaucoup plus dans ces derniers, et même les personnes qui fractionnent leurs doses d'insuline auront beaucoup de difficulté à éviter une hyperglycémie «à retardement» si elles ont ingéré 150 ou 200 grammes de glucides en raison de leurs cinq passages aux tables du buffet!

Comme l'information nutritionnelle n'est pas disponible partout, une bonne idée est d'avoir avec soi le petit *Guide de poche pour vos repas au restaurant*, publié en 2003 par Diabète Québec. On y retrouve les teneurs moyennes en glucides, lipides et énergie de plusieurs aliments, mets et boissons qu'on peut consommer dans divers types d'établissements, depuis les rôtisseries jusqu'aux bars laitiers, en passant par les restaurants grecs, asiatiques et mexicains! Voir la section Ressources.

Le temps des fêtes

La période des fêtes de fin d'année est particulièrement propice aux repas spéciaux. Plusieurs des conseils donnés ci-dessus pour les sorties au restaurant peuvent aussi s'appliquer aux réunions de familles ou d'amis du temps des fêtes.

Mais il y a aussi la question particulière des réveillons. Habituellement, le plan d'alimentation n'a pas prévu de repas ou de collations en plein milieu de la nuit!

Voici à cet effet quelques trucs et recommandations.

- Si le réveillon est servi pendant la nuit, ne pas prendre la collation du soir. Garder la même injection d'insuline intermédiaire à l'heure habituelle du coucher et ajouter de l'insuline rapide au moment du réveillon, **ou** augmenter l'injection d'insuline intermédiaire de soirée pour couvrir les glucides du réveillon.

- Si le réveillon est servi en soirée (ex. : vers 22 h), prendre à l'heure normale du souper une bonne collation plutôt qu'un repas. Diminuer la dose d'insuline du souper en conséquence. Ajouter à la dose d'insuline intermédiaire habituelle du coucher la quantité d'insuline rapide nécessaire pour couvrir les glucides additionnels du réveillon. Faire l'injection avant le réveillon.

- S'il s'agit d'un enfant diabétique, il vaudra mieux administrer l'insuline rapide après le réveillon. L'enfant peut avoir eu les yeux plus grands que la panse, ou être beaucoup plus intéressé par ses cadeaux que par le contenu de son assiette!

Comme pour le reste de l'année, il faut être très prudent avec l'alcool! Rappelons-nous que celui-ci augmente grandement les risques d'hypoglycémie, surtout quand on ne mange pas dans les heures subséquentes. Et quand on s'est couché à 4 h du matin avec un petit verre dans le nez, c'est particulièrement risqué de passer tout droit et d'oublier le déjeuner!

Les voyages

Le dernier point que nous abordons est celui des voyages et des déplacements. Comme dans bien des aspects de la vie des personnes diabétiques, le secret du succès réside ici dans la planification et l'organisation!

D'abord, un mot sur les déplacements. Qu'on voyage en automobile, en train, en autobus ou en avion, on sait bien que les pannes, les retards ou les délais imprévus sont toujours possibles. Il faut donc emporter avec soi de quoi faire un repas complet au besoin, en plus bien sûr de tout ce qu'il faut pour traiter d'éventuels épisodes d'hypoglycémie.

Pour un court déplacement, prévoir pour les collations une bonne variété d'aliments ne nécessitant pas de réfrigération, par exemple :

- fruits frais
- barres de céréales
- graines de soja
- craquelins avec tartinade de fromage ou de beurre d'arachides
- boîtes à boire de lait UHT et de jus
- raisins secs ou autres fruits séchés
- petits muffins

Pour un trajet plus long, prévoir si possible une glacière, ou au moins un sac à lunch muni d'un *ice pack* pour emporter aussi des aliments plus consistants, tels que :

- sandwichs au jambon (sans mayonnaise)
- sandwichs au beurre d'arachides
- fromage

Il ne faut pas oublier l'eau : d'une part il peut faire chaud, et d'autre part l'inactivité forcée pendant le déplacement peut faire monter la glycémie et donner soif ! Prévoir plusieurs bouteilles.

> Si on se rend à l'étranger, il faut savoir que certains aliments risquent de ne pas franchir la douane ! Entre autres, les fruits et légumes frais ainsi que les produits laitiers peuvent ne pas être permis. Il est important de s'informer à l'avance des règlements propres à chaque pays, et de s'organiser en conséquence.

Une fois à destination, il faut aussi être prudent dans les choix alimentaires. Au Canada et aux États-Unis, les produits disponibles sont très semblables, de même que les règlements sur l'étiquetage nutritionnel. On devrait donc s'en tirer sans trop de problème !

Ailleurs dans le monde, les produits alimentaires et les modes de préparation des aliments peuvent souvent être très différents. De plus, il y a encore plusieurs pays où l'étiquetage nutritionnel est inexistant. Et quand il existe, il peut être très différent de celui auquel on est habitué.

Pour en savoir davantage sur les coutumes alimentaires des pays qu'on s'apprête à visiter, on peut consulter les agents de voyages. Ils nous diront par exemple à quelle heure ouvrent les restaurants pour le repas du soir (17 h, 19 h ou 21 h?), quels sont les mets typiques du déjeuner, etc. Internet est aussi une excellente ressource, bien sûr.

Et on ne peut conclure sans dire un mot de la tourista! Elle peut gâcher les vacances de n'importe qui, encore plus des personnes diabétiques! Une telle indisposition pouvant avoir chez elles des conséquences très sérieuses, il faut redoubler de vigilance.

Voici quelques conseils à suivre.

- Utiliser de l'eau embouteillé (et non de l'eau du robinet) pour boire, se brosser les dents et laver les fruits et légumes.

- Éviter les glaçons, les salades et crudités, les fruits déjà pelés, les produits laitiers non pasteurisés.

- Ne consommer les fruits de mer et les poissons que dans les hôtels ou restaurants réputés.

- Ne consommer aucun aliment vendu par des marchands ambulants.

- Privilégier les fruits entiers qu'on peut peler soi-même.

- Ne consommer les viandes que très cuites.

De cette façon, le voyage ne devrait laisser que de bons souvenirs!

Le mot de la fin

Et voilà, nous avons fait le tour dans ce livre non seulement des occasions spéciales, mais d'à peu près toutes les situations où l'alimentation joue un rôle important dans la vie des personnes atteintes du diabète de type 1. Et reconnaissons qu'il y en a beaucoup!

Au terme de ce périple, nous en savons sans doute plus long sur les aliments et les nutriments. Nous comprenons peut-être mieux les façons qu'a le corps humain de réagir à un manque ou à un excès d'insuline. Et, très important, nous connaissons davantage les stratégies alimentaires qui peuvent nous aider à bien contrôler le diabète de type 1.

Il ne reste qu'un souhait à formuler : à chacun, longue et belle vie, et bon appétit!

Principales références consultées

CHAPITRE 1 : Les hauts et les bas de la glycémie

Bode B.W. (dir.) (2004). *Medical management of type 1 diabetes*, 4ᵉ édition. Alexandria (Virginie) : American Diabetes Association, 258 p.

Brosnan, J.T. (2004). « The composition of the intracellular milieu ». *Canadian Journal of Diabetes*, vol. 28, n° 2, p. 152-156.

DiabSurf. Diabète au quotidien – Les mécanismes du diabète (consulté en ligne le 20 septembre 2004). Sur Internet : www.diabsurf.com/diabete/FIntro.php.

Groff, J.L., et S.S. Gropper (2000). *Advanced nutrition and human metabolism*, 3ᵉ édition. Belmont (Californie) : Wadsworth Thomson Learning.

Whitney, E.N., B.C. Cataldo et S.R. Rolfes (2002). *Understanding normal and clinical nutrition*, 6ᵉ édition. Belmont (Californie) : Wadsworth Thomson Learning.

CHAPITRE 2 : Le plan d'alimentation
et
CHAPITRE 3 : Les guides d'alimentation et les systèmes d'échanges alimentaires

Association canadienne du diabète. Comité d'experts des lignes directrices de pratique clinique. Thérapie nutritionnelle (2003). « Lignes directrices de pratique clinique 2003 de l'Association canadienne du diabète pour la prévention et le traitement du diabète au Canada ». *Canadian Journal of Diabetes*, vol. 27, n° 2, p. S31-S35.

Association canadienne du diabète. Comité d'experts des lignes directrices de pratique clinique. Insulinothérapie et diabète de type 1 (2003). « Lignes directrices de pratique clinique 2003 de l'Association canadienne du diabète pour la prévention et le traitement du diabète au Canada ». *Canadian Journal of Diabetes*, vol 27, n° 2, p. S36-S41.

American Dietetic Association et American Diabetes Association (2003). *Exchange lists for meal planning*, 48 pages.

Brackenbridge B.P., et R.R. Rubin (2002). *Sweet kids: how to balance diabetes control and good nutrition with family peace*, 2ᵉ édition. Alexandria (Virginie) : American Diabetes Association.

Chagnon-Decelles D., M.D. Gélinas et L. Lavallée Côté (dir.) (2000). «Chapitre 6.5 : Diabète sucré». *Manuel de nutrition clinique*, 3ᵉ édition. Ordre professionnel des diététistes du Québec.

Diabète Québec, et ministère de la Santé et des Services sociaux du Québec (2003). *Guide d'alimentation pour la personne diabétique*, 63 pages.

Franz, M.J., D. Reader et A. Monk (2002). *Implementing Group and Individual Medical Nutrition Therapy for Diabetes*. Alexandria (Virginie) : American Diabetes Association, 80 p.

Geoffroy, L., et M. Gonthier (2003). *Le diabète chez l'enfant et l'adolescent.* Montréal : Éditions de l'Hôpital Sainte-Justine, 356 pages.

Whitney, E.N., B.C. Cataldo et S.R. Rolfes (2002). *Understanding normal and clinical nutrition*, 6ᵉ édition. Belmont (Californie) : Wadsworth Thomson Learning.

Wolever, T., M.C. Barbeau, S. Charron et coll. (1999). *Guidelines for the nutritional management of diabetes mellitus in the new millennium: a position statement by the Canadian Diabetes Association*. 16 pages.

Yasui, D., et D. Hatton (2002). *Food and diabetes for kids, teens, families and caregivers*. British Columbia Children's Hospital, 110 pages.

CHAPITRE 4 : Le calcul des glucides, approche simplifiée
et
CHAPITRE 5 : Le calcul des glucides, niveau avancé

Allan, B., et K. Arcudi (2003). *Nutrition Guidelines Implementation Committee. Making Carbohydrate Count: A Hands-On Approach.* 7ᵉ rencontre professionnelle annuelle de la Canadian Diabetes Association et de la Canadian Society of Endocrinology and Metabolism, Ottawa.

American Diabetes Association (2003). *Advanced Carbohydrate Counting*. Alexandria (Virginie) et Chicago (Illinois) : American Diabetes Association.

Association canadienne du diabète. Comité d'experts des lignes directrices de pratique clinique. Annexe 5, Méthode simplifiée du calcul des glucides pour le contrôle du diabète (2003). «Lignes directrices de pratique clinique 2003 de l'Association canadienne du diabète pour la prévention et le traitement du diabète au Canada». *Canadian Journal of Diabetes*, vol. 27, nº 2, p. S136-S137.

Association canadienne du diabète. Comité d'experts des lignes directrices de pratique clinique. Annexe 6, L'indice glycémique (2003). «Lignes directrices de pratique clinique 2003 de l'Association canadienne du diabète pour la prévention et le traitement du diabète au Canada». *Canadian Journal of Diabetes*, vol. 27, n° 2, p. S138-S139.

Association canadienne du diabète. Comité d'experts des lignes directrices de pratique clinique. Objectifs du contrôle de la glycémie (2003). «Lignes directrices de pratique clinique 2003 de l'Association canadienne du diabète pour la prévention et le traitement du diabète au Canada». *Canadian Journal of Diabetes*, vol. 27, n° 2, p. S22-S24.

American Diabetes Association (2003). *Basic Carbohydrate Counting.* Alexandria (Virginie) et Chicago (Illinois) : American Diabetes Association.

Clarke, K. (1999). *Getting great glucose control. Matching insulin to food*, 4e édition. Auto Control Medical, 32 pages.

Foster-Powell, K., S.H.A. Holt et J.C. Brand-Miller (2002). «International table of glycemic index and glycemic load values». *American Journal of Clinical Nutrition*, vol. 76, p. 5-56.

Franz, M.J., D. Reader et A. Monk (2002). *Implementing Group and Individual Medical Nutrition Therapy for Diabetes.* Alexandria (Virginie) : American Diabetes Association, 80 p.

Gillepsie, S., K. Kulkarni et A. Daly (1998). «Using carbohydrate counting in diabetes clinical practice». *J Am Diet Association*, vol. 98, n° 8, p. 897-905.

Lighfoot, C., et E.S. Pytka (2004). *Making Carbs Count: Advanced Carbohydrate Counting for Intensive Diabetes Management.* 7e rencontre professionnelle annuelle de la Canadian Diabetes Association et de la Canadian Society of Endocrinology and Metabolism, Québec.

Sheard, N.F., N.G. Clark, J.C. Brand-Miller et coll. (2004). «Dietary carbohydrate (amount and type) in the prevention and management of diabetes mellitus. A statement by the American Diabetes Association». *Diabetes Care*, vol. 27, n° 9, p. 2266-2271.

Walsh, J., et R. Roberts (2000). *Pumping Insulin*, 3e édition. San Diego (Californie) : Torrey Pines Press, 272 p.

Wosnick, R. (2004). «Carb counting. A plan you can count on». *Diabetes Dialogue*, vol. 51, n° 1, p. 20-22.

CHAPITRE 6 : L'étiquetage nutritionnel des aliments

Agence canadienne d'inspection des aliments. Guide d'étiquetage et de publicité sur les aliments 2003 (consulté en ligne le 28 novembre 2004). Sur Internet : www. inspection.gc.ca/francais/fssa/labeti/guide/tocf.shtml.

Agence canadienne d'inspection des aliments (2003). *Test de conformité de l'étiquetage nutritionnel.* Gouvernement du Canada, 58 pages.

Santé Canada (2003). *Le point sur l'étiquetage nutritionnel. Trousse sur l'étiquetage nutritionnel à l'intention des éducateurs.* Santé Canada.

CHAPITRE 7 : Comprendre et optimiser le rôle des constituants alimentaires

American Dietetic Association (2004). « Position of the American Dietetic Association : Use of nutritive and non-nutritive sweeteners ». *Journal of the American Dietetic Association,* vol. 104, p. 255-275.

Association canadienne du diabète. Comité d'experts des lignes directrices de pratique clinique. Thérapie nutritionnelle (2003). « Lignes directrices de pratique clinique 2003 de l'Association canadienne du diabète pour la prévention et le traitement du diabète au Canada ». *Canadian Journal of Diabetes,* vol. 27, n° 2, p. S31-S35.

Chagnon-Decelles D., M.D. Gélinas et L. Lavallée Côté (dir.) (2000). « Chapitre 6.5 : Diabète sucré ». *Manuel de nutrition clinique,* 3ᵉ édition. Ordre professionnel des diététistes du Québec.

Dorrell, K. (2004). « Cholesterol counts ! ». *Diabetes Dialogue,* vol. 51, n° 1, p. 34-35.

Franz, M.J., J.P. Bantle, C.A. Beebe et coll. (2002). « Evidence-based nutrition principles and recommendations for the treatment and prevention of diabetes and related complications. Technical Review ». *Diabetes Care,* vol. 25, n° 1, p. 148-198.

Gougeon, R., M. Spidel, K. Lee et C.J. Field (2004). « Canadian Diabetes Association National Nutrition Committee technical review : Non-nutritive intense sweeteners in diabetes management ». *Canadian Journal of Diabetes,* vol. 28, n° 4, p. 385-399.

Livesey, G. (2003). « Health potential of polyols as sugar replacers, with emphasis on low glycaemic properties ». *Nutrition Research and Reviews,* vol. 16, p. 163-191.

Peters, A.L., et M.B. Davidson (1993). « Protein and fat effect on glucose responses and insulin requirements in subjects with insulin-dependent diabetes mellitus ». *American Journal of Clinical Nutrition,* vol. 58, n° 4, p. 555-560.

Telner, A. (2002). «Alcool, diabetes and health: a review». *Canadian Journal of Diabetes*, vol. 26, n° 3, p. 378-381.

Turner, B.C., E. Jenkins, D. Kerr et coll. (2001). «The effect of evening alcohol consumption on next-morning glucose control in type 1 diabetes». *Diabetes Care*, vol. 24, n° 11, p. 1888-1893.

Schwartz, R. (2004). «Harvesting disease prevention». *Diabetes Dialogue*, vol. 51, n° 3, p. 28-29.

Schwartz, R. (2004). «The baddest fat on the block». *Diabetes Dialogue*, vol. 51, n° 1, p. 40-42.

Wolever, T., M.C. Barbeau, S. Charron et coll. (1999). *Guidelines for the nutritional management of diabetes mellitus in the new millennium: a position statement by the Canadian Diabetes Association.* 16 pages.

Wolever, T.M.S., A. Piekarz, M. Hollands et coll. (2002). «Sugar alcohols and diabetes: a review». *Canadian Journal of Diabetes*, vol. 26, n° 3, p. 356-362.

CHAPITRE 8 : L'hypoglycémie : les aliments pour la traiter, les stratégies alimentaires pour la prévenir

Association canadienne du diabète. Comité d'experts des lignes directrices de pratique clinique. Hypoglycémie (2003). «Lignes directrices de pratique clinique 2003 de l'Association canadienne du diabète pour la prévention et le traitement du diabète au Canada». *Canadian Journal of Diabetes*, vol. 27, n° 2, p. S48-S50.

Axelsen, M., C. Wesslau, P. Lonnroth et coll. (1999). «Bedtime uncooked cornstarch supplement prevents nocturnal hypoglycaemia in intensively treated type 1 diabetes subjects». *Journal of Internal Medicine*, vol. 245, p. 229-236.

Bode, B.W. (dir.) (2004). *Medical management of type 1 diabetes*, 4ᵉ édition. Alexandria (Virginie) : American Diabetes Association, 258 p.

Bolli, G.B. (2003). «Treatment and prevention of hypoglycemia and its unawareness in type 1 diabetes mellitus». *Reviews in endocrine and metabolic disorders*, vol. 4, p. 335-341.

Brackenbridge, B.P., et R.R. Rubin (2002). *Sweet kids: how to balance diabetes control and good nutrition with family peace*, 2ᵉ édition. Alexandria (Virginie) : American Diabetes Association.

Kalergis, M., A. Schiffrin, R. Gougeon et coll. (2003). «Impact of bedtime snack composition on prevention of nocturnal hypoglycemia in adults with type 1 diabetes undergoing intensive insulin management using lispro insulin before meals». *Diabetes Care*, vol. 26, p. 9-15.

Kaufman, F.R., et S. Devgan (1996). «Use of uncooked cornstarch to avert nocturnal hypoglycemia in children and adolescents with type 1 diabetes». *Journal of diabetes and its complications*, vol. 10, p. 84-87.

Vachon, M., et I. Galibois (2004). «Adjustment of bedtime snack composition for prevention of nocturnal hypoglycemia and morning hyperglycemia in type 1 diabetic children». *Diabetes*, vol. 53, n° S2, p. A7.

Winiger, G., U. Keller, R. Laager et coll. (1995). «Protein content of the evening meal and nocturnal plasma glucose regulation in type 1 diabetic subjects». *Hormone Research*, vol. 44, n° 3, p. 101-104.

Yale, J.F. (2004). «Nocturnal hypoglycemia in patients with insulin-treated diabetes». *Diabetes Research and Clinical Practice*, n° 65S, p. S41-S46.

Yale, J.F., I. Begg, H. Gerstein et coll. (2001). «Canadian Diabetes Association Clinical practice guidelines for the prevention and management of hypoglycemia in diabetes». *Canadian Journal of Diabetes*, vol. 26, n° 1, p. 22-35.

Yasui, D., et D. Hatton (2002). *Food and diabetes for kids, teens, families and caregivers.* British Columbia Children's Hospital, 110 pages.

CHAPITRE 9 : Les ajustements alimentaires
en fonction de l'activité physique

Association canadienne du diabète. Comité d'experts des lignes directrices de pratique clinique. L'activité physique et le diabète (2003). «Lignes directrices de pratique clinique 2003 de l'Association canadienne du diabète pour la prévention et le traitement du diabète au Canada». *Canadian Journal of Diabetes*, vol. 27, n° 2, p. S28-S30.

Chagnon-Decelles D., M.D. Gélinas et L. Lavallée Côté (dir.) (2000). «Chapitre 6.5 : Diabète sucré». *Manuel de nutrition clinique*, 3ᵉ édition. Ordre professionnel des diététistes du Québec.

Cohen, J. (2004). «Exercise and type 1 diabetes». *Diabetes Dialogue*, vol. 51, n° 1, p. 25-28.

Diabetes Insight. Managing type 1 diabetes – exercise (consulté le 10 décembre 2004). Sur Internet : www.diabetes-insight.info.

Zinman, B., N. Ruderman, B.N. Campaigne et coll. (2004). «Physical activity / exercise and diabetes. A position statement by the American Diabetes Association». *Diabetes Care*, vol. 27, p. S58-S62.

CHAPITRE 10 : Les situations particulières

Brackenbridge, B.P., et R.R. Rubin (2002). *Sweet kids : how to balance diabetes control and good nutrition with family peace*, 2ᵉ édition. Alexandria (Virginie) : American Diabetes Association.

Chagnon-Decelles D., M.D. Gélinas et L. Lavallée Côté (dir.) (2000). «Chapitre 6.5 : Diabète sucré». *Manuel de nutrition clinique*, 3ᵉ édition. Ordre professionnel des diététistes du Québec.

Clinique St-Amour. Anorexie nerveuse (consulté le 14 décembre 2004). Sur Internet : www.cliniquestamour.com/anorexie.htm.

Colton, P., M. Olmsted, D. Daneman et coll. (2004). «Disturbed eating behavior and eating disorders in preteen and early teenage girls with type 1 diabetes : a case-controlled study». *Diabetes Care*, vol. 27, p. 1654-1659.

Geoffroy, L., et M. Gonthier (2003). *Le diabète chez l'enfant et l'adolescent.* Montréal : Éditions de l'Hôpital Sainte-Justine, 356 pages.

Holmes, B. (2004). «Pack your bags». *Diabetes Dialogue*, vol. 51, nᵒ 3, p. 10-12.

Jones, J.M., M.L. Lawson, D. Daneman et coll. (2000). «Eating disorders in adolescent females with and without type 1 diabetes : cross sectional study». *British Medical Journal*, vol. 320, p. 1563-1566.

Rodin, G., M.P. Olmsted, A.C. Rydall et coll. (2002). «Eating disorders in young women with type 1 diabetes mellitus». *Journal of Psychosomatic Research*, vol. 53, p. 943-949.

Tremblay, L., et M.C. Barbeau. «Jours de maladie chez la personne diabétique de type 1». *Plein soleil*, vol. 44, nᵒ 4, p. 36-38, 2002.

Unité de jour de diabète de l'Hôtel-Dieu du CHUM (2004). *Connaître son diabète… pour mieux vivre !*, 4ᵉ édition. Montréal : Rogers Media, 297 pages.

Yasui, D., et D. Hatton (2002). *Food and diabetes for kids, teens, families and care-givers.* British Columbia Children's Hospital, 110 pages.

Ressources additionnelles sur l'alimentation et le diabète

1. PUBLICATIONS

Documents de Diabète Québec

- *Guide d'alimentation pour la personne diabétique*
  Publié conjointement avec le ministère de la Santé
  et des Services sociaux du Québec.

  Pour obtenir un exemplaire gratuit, faire parvenir sa commande :

  par télécopieur : (418) 644-4574

  par courriel : communication@ssss.gouv.qc.ca

  par la poste : Direction des communications

  1075, chemin Sainte-Foy, 16ᵉ étage

  Québec (Québec) G1S 2M1

- *Guide de poche pour vos repas au restaurant*
- *La roulette de l'activité physique*

  Disponibles à faible coût ; s'adresser à :
  Diabète Québec, 8550, boul. Pie-IX, bureau 300
  Montréal (Québec) H1Z 4G2
  Téléphone : (514) 259-3422, ou sans frais : 1 800 361-3504
  Courriel : info@diabète.qc.ca

Documents de Santé Canada

- *Fichier canadien des éléments nutritifs, version 2005*
  Consulter en ligne à l'adresse suivante :
  www.hc-sc.gc.ca/fn-an/nutrition/fiche-nutri-data/index_f.html

- *Valeur nutritive de quelques aliments usuels, 1999*
  Consulter le format PDF de la publication à l'adresse suivante :
  www.hc-sc.gc.ca/fn-an/alt_formats/hpfb-dgpsa/pdf/nutrition/nvscf-vnqau_f.pdf
  OU commander le livret (9,50 $) :
  Les Éditions et Services de dépôt
  Travaux publics et Services gouvernementaux Canada
  Ottawa (Ontario) K1A 0S9

Téléphone : 1 800 635-7943
Télécopieur : 1 800 565-7757
Courriel : publications@tpsgc.gc.ca
Site Web : publications.gc.ca

Indiquer ces numéros de catalogue lors de la commande :
H58-28 / 1999F
ISBN 0-660-96163-6

Documents de l'Association canadienne du diabète

- *Méthode simplifiée de calcul des glucides pour le contrôle du diabète*
  Document-synthèse de 2 pages en format PDF disponible à l'adresse :
  www.diabetes.ca/files/Carb_Counting_fre.qx.pdf

- *L'indice glycémique*
  Document-synthèse de 2 pages en format PDF disponible à l'adresse :
  www.diabetes.ca/Files/glycemicindex_fr.pdf

Autres publications

- *Pumping Insulin : Everything you need for success
  with an insulin pump (2ᵉ édition, 2000)*
  John Walsh et Ruth Roberts
  Peut être commandé à partir du site Amazon.ca.

2. SITES INTERNET

- *Diabète Québec*
  www.diabete.qc.ca

- *Association canadienne du diabète – Canadian Diabetes Association*
  www.diabetes.ca

- *American Diabetes Association*
  www.diabetes.org

- *Children with Diabetes*
  www.childrenwithdiabetes.com

- *Les diététistes du Canada*
  www.dietitians.ca

- *Le groupe GlucoMaître*
  www.glucomaitre.com
  Voir en particulier les chapitres « Alimentation » et « Valeurs nutritives ».

Table des facteurs glucidiques

Un facteur glucidique est une valeur numérique comprise entre 0,00 et 1,00. Cette valeur représente la quantité de glucides contenus dans **1 g** d'aliment.

Par exemple, dans 100 g de fraises fraîches, il y a 7 g de glucides. Le facteur glucidique des fraises est donc de 0,07.

À l'aide du facteur glucidique spécifique d'un aliment, on peut calculer rapidement le contenu en glucides d'une portion de cet aliment pesée avec précision.

La présente table regroupe les facteurs glucidiques de plus de 500 aliments. Ces facteurs ont été calculés à partir des données nutritionnelles du *Fichier canadien sur les éléments nutritifs* de Santé Canada, édition 2005.

Commer utiliser cette table ?

Pour calculer la quantité de glucides que contient **votre** portion d'un aliment donné, il faut d'abord la peser à l'aide d'une balance précise. Il faut ensuite repérer l'aliment dans la table. Celle-ci est organisée en catégories d'aliments, et ceux-ci sont classés en ordre alphabétique dans chaque catégorie. Il s'agit ensuite de multiplier le poids (en grammes) par le facteur glucidique de l'aliment retrouvé dans la table.

Voici quelques exemples.

- 1 tranche non grillée de pain blanc de 43 g contient :
  43 g × 0,47 *(facteur glucidique du pain blanc non grillé, repéré dans la catégorie pains et céréales)* = 20 g de glucides.

- 67 g de brocoli cru contiennent : 67 g × 0,03 *(facteur glucidique du brocoli cru, repéré dans la catégorie légumes)* = 2 g de glucides.

- 25 g de biscuits commerciaux Thé social contiennent :
  25 g × 0,72 *(facteur glucidique des biscuits Thé social, repéré dans la catégorie desserts et autres sucreries)* = 18 g de glucides.

Vous savez que parmi les glucides totaux d'un aliment peuvent se retrouver des fibres alimentaires qui, contrairement aux autres glucides, ne font pas fluctuer la glycémie. Dans la présente table, la quantité de fibres pour chaque aliment a déjà été soustraite du total des glucides. Vous n'avez donc pas à vous en préoccuper.

PAINS ET CÉRÉALES

Bagel nature/pavot/sésame	non grillé	0,51
	grillé	0,55
Bagel cannelle-raisins	non grillé	0,53
	grillé	0,57
Bulghur	non cuit	0,65
	cuit	0,16
Couscous	non cuit	0,74
	cuit	0,22
Crêpe nature (maison)		0,28
Croissant au beurre		0,43
Gaufre congelée		0,38
Macaroni (coudes)	non cuit	0,72
	cuit	0,27
Muffin	aux bleuets (commercial)	0,45
	au son d'avoine	0,44
Muffin anglais de blé entier	non grillé	0,34
	grillé	0,37
Muffin anglais nature	non grillé	0,43
	grillé	0,47
Pain blanc	non grillé	0,47
	grillé	0,52
Pain de blé entier	non grillé	0,39
	grillé	0,44
Pain multigrains (7 grains)	non grillé	0,40
	grillé	0,44
Pain aux raisins	non grillé	0,48
	grillé	0,52
Pain pita blanc		0,54
Pain pita de blé entier		0,48
Pain à hamburger/hot dog		0,48
Riz blanc grain court	cuit	0,29
Riz blanc grain long	cuit	0,28
Riz brun grain long	non cuit	0,74
	cuit	0,22
Spaghetti blanc	non cuit	0,72
	cuit	0,27
Spaghetti de blé entier	non cuit	0,67
	cuit	0,23

CÉRÉALES À DÉJEUNER FROIDES

All Bran [MD]	0,42
Cheerios [MD]	0,64
Corn Flakes [MD]	0,84
Corn Pops [MD]	0,90
Froot Loops [MD]	0,86
Just Right [MD]	0,79
Life [MD]	0,61
Lucky Charms [MD]	0,78
Mini Wheats [MD]	0,73
Rice Krispies [MD]	0,84
Special K [MD]	0,74

CÉRÉALES À DÉJEUNER CHAUDES

Crème de riz sèche		0,82
Crème de blé instantanée Nabisco [MD] sèche	original	0,71
	pommes-cannelle	0,79
	érable	0,81
Gruau Quaker [MD] instantané sec	original	0,57
	baies	0,66
	érable et cassonade	0,74
Gruau Quaker [MD] sec		0,57
Son d'avoine sec		0,43

FRUITS

Abricot	frais, portion comestible	0,09
	frais, avec noyau	0,08
	séché	0,54
Ananas	frais	0,11
	conserve (dans son jus)	0,15
Banane	crue, pelée	0,21
	crue, avec pelure	0,14
Bleuets frais		0,12
Cerises fraîches		0,12
Cantaloup		0,08
Dattes séchées		0,65
Figues séchées		0,53
Fraises fraîches		0,05

FRUITS (suite)

Framboises fraîches		0,07
Kiwi cru, avec pelure		0,12
Mangue		0,15
Melon d'eau		0,07
Melon miel		0,08
Mûres		0,08
Nectarine		0,10
Orange, avec pelure		0,11
Pamplemousse		0,07
Papaye		0,08
Pêche	crue	0,08
	conserve (dans son jus, solides + liquide)	0,10
	conserve (sirop léger, solides + liquide)	0,13
	conserve (sirop léger, solides + liquide)	0,14
Poire	crue, avec pelure	0,12
	conserve (dans son jus, solides + liquide)	0,11
Pomme	crue, avec pelure	0,11
	purée non sucrée	0,10
Prune		0,11
Pruneaux séchés, dénoyautés		0,56
Raisins (pelure adhérente)		0,17
Raisins secs		0,76
Tangerine, clémentine, mandarine		0,10

LÉGUMES

Ail cru, pelé		0,31
Artichaut	cru	0,06
	cuit	0,07
Asperges	crues	0,03
	cuites	0,03
Aubergine crue		0,04
Avocat cru		0,02
Bambou (pousses)		0,03
Betteraves	crues	0,08
	cuites	0,08
	conserve	0,05
Brocoli	cru	0,03
	cuit	0,03
Carotte	crue	0,07
	cuite	0,07
Céleri		0,02
Champignons blancs	crus	0,02
	cuits	0,03

LÉGUMES (suite)

Chou vert	cru	0,04
	cuit	0,03
Chou-fleur	cru	0,03
	cuit	0,04
Choux de Bruxelles cuits		0,04
Concombre		0,02
Courges	d'été, crues	0,03
	d'hiver, crues	0,07
Épinards	crus	0,01
	cuits	0,01
Haricots jaunes ou verts	crus	0,04
	cuits, égouttés	0,03
Laitue		0,01
Maïs sucré	cru, avec épi	0,06
	grains, congelé	0,19
	conserve (crème)	0,17
	conserve (grains)	0,17
Navet cru		0,04
Oignons crus		0,07
Patate douce cuite		0,23
Poireau cru		0,12
Pois mange-tout	crus	0,06
	cuits	0,04
Pois (verts), petits	cuits	0,09
	conserve, égouttés	0,08
Poivrons	crus	0,05
	cuits	0,05
Pommes de terre	crues	0,16
	au four	0,21
	bouillies	0,19
	rissolées	0,18
	purée (avec lait)	0,17
	frites (congelées)	0,26
Radis crus		0,02
Soja (germes)		0,03
Tomates	crues	0,03
	conserve	0,04
	séchées (sans huile)	0,44
	(avec huile)	0,18
	pâte	0,15

LÉGUMINEUSES

Arachides	beurre, crémeux	0,14
	beurre, croquant	0,15
	rôties à l'huile	0,12
	rôties à sec	0,14

LÉGUMINEUSES (suite)

Doliques (œil noir)	bouillis, égouttés	0,15
	conserve (nature)	0,14
Gourganes	déshydratées, bouillies	0,14
	conserve, solide + liquide	0,11
Haricots blancs	bouillis	0,18
	conserve, solide + liquide	0,17
Haricots de Lima	secs, bouillis	0,14
	conserve, solide + liquide	0,10
Haricots mungo	bouillis	0,12
Haricots noirs	bouillis	0,17
Haricots pinto	bouillis	0,17
	conserve, solide + liquide	0,11
Haricots rouges	bouillis	0,16
	conserve, solide + liquide	0,09
Hoummos	commercial	0,08
	recette maison	0,16
Lentilles	bouillies	0,16
Pois cassés	bouillis	0,18
Pois chiches	bouillis	0,23
	conserve, solide + liquide	0,18
Soja (graines) rôties	avec sel	0,16
	sans sel	0,16
Tofu	ferme, nature	0,03
	frit	0,09
	soyeux, ferme	0,02
	soyeux, mou	0,03

NOIX ET GRAINES

Amandes	beurre, nature	0,18
	pâte d'amandes	0,43
	déshydratées	0,10
	rôties à l'huile	0,07
	rôties à sec	0,12
	rôties au miel	0,17
Cajous (noix de)	beurre, nature	0,26
	rôties à l'huile	0,23
	rôties à sec	0,31
Graines de citrouille	rôties	0,10
Graines de lin		0,01
Macadamia	crues	0,05
	rôties à l'huile	0,04
	rôties à sec	0,05
Marrons rôtis		0,48
Noisettes, avelines	déshydratées	0,06
	rôties à l'huile	0,13
	rôties à sec	0,08

NOIX ET GRAINES (suite)

Noix de coco	desséchée	0,07
	desséchée, grillée, sucrée	0,43
	fraîche	0,06
Noix de Grenoble déshydratées		0,07
Noix du Brésil déshydratées		0,07
Noix mélangées avec arachides	rôties à l'huile	0,11
	rôties à sec	0,16
Noix mélangées sans arachides	rôties à l'huile	0,17
Pacanes (noix de Pécan)	déshydratées	0,04
	rôties à l'huile	0,04
	rôties à sec	0,04
Pignons de pin déshydratés		0,09
Pistaches	crues	0,19
	rôties à sec	0,18
Sésame	beurre (tahini)	0,09
	graines déshydratées entières	0,12
	graines entières, rôties et grillées	0,12
Tournesol	graines déshydratées	0,08
	graines grillées	0,09
	graines rôties à l'huile	0,14
	graines rôties à sec	0,13

CRAQUELINS

Biscotte		0,66
Craquelin de blé		0,60
Craquelin de blé entier		0,58
Craquelin au fromage (ex. : Ritz [MD])	ordinaire	0,56
	réduit en gras	0,75
	sandwich au beurre d'arachide	0,53
	sandwich au fromage	0,57
Mince au blé (cuit au four)		0,66
Biscuits soda		0,68
Seigle (pain plat *crispbread*)		0,66
Toast melba	blé	0,69
	nature	0,70

METS COMPOSÉS

Chili con carne	avec haricots	0,08
	sans haricots	0,06
Chop suey avec viande		0,04
Chow mein au poulet		0,07
Croquettes de dinde, panées, frites		0,15
Filet de poisson, en pâte à frire ou pané, frit		0,16
Fondue au fromage		0,04

METS COMPOSÉS (suite)

Hachis de bœuf salé, en conserve	0,08
Hamburger Helper [MD], mélange sec non préparé	0,64
Hamburger au fromage, 1 galette, nature	0,25
Hot dog, nature	0,18
Lasagne avec viande et sauce, congelée	0,12
Macaroni et bœuf sauce tomate, conserve	0,13
Macaroni au fromage, mélange sec non préparé	0,66
Pain de viande (sauce tomate, viande, pois, pommes de terre en purée)	0,10
Pâté au bœuf, commercial	0,24
Pâté au porc, commercial	0,25
Pâté au poulet, commercial	0,24
Pizza surgelée, croûte ordinaire	fromage	0,27
	pepperoni	0,26
	viande et légumes	0,23
Pizza surgelée, croûte « lève-au-four »	fromage	0,30
	viande et légumes	0,26
Ragoût de bœuf (conserve)	0,05
Salade de pommes de terre	0,13
Sous-marin, viandes froides	0,23
Tourtière commerciale	0,24

SAUCES, MARINADES ET CONDIMENTS

PAS = prête à servir

Betteraves marinées en conserve		0,14
Câpres		0,02
Cornichons	à l'aneth	0,03
	sucrés	0,31
Ketchup aux tomates		0,24
Mayonnaise commerciale	ordinaire	0,04
	réduite en gras	0,15
Moutarde préparée jaune		0,05
Olives	vertes, marinées	0,01
	mûres, en conserve	0,03
Relish sucrée		0,34
Sauce aigre-douce (PAS)		0,24
Sauce barbecue (PAS)		0,12
Sauce à bifteck (ex. : HP [MD])		0,14
Sauce blanche épaisse maison		0,11
Sauce blanche moyenne		0,09
Sauce blanche claire maison		0,07
Sauce au fromage pour nachos (PAS)		0,06

SAUCES, MARINADES... (suite)

Sauce hoisin (PAS)		0,41
Sauce aux prunes (PAS)		0,42
Sauce salsa (PAS)		0,05
Sauce soja		0,07
Sauce tamari		0,06
Sauce spaghetti marinara (PAS)		0,07
Sauce spaghetti tomates (PAS)		0,14
Sauce tartare (PAS)		0,08
Sauce teriyaki (PAS)		0,16
Sauce Worcestershire		0,08
Vinaigrette commerciale	césar	0,04
	fromage bleu	0,10
	française	0,14
	italienne	0,05
	mille-îles	0,17
	ranch	0,04
	ranch sans gras	0,30
	russe	0,10
	russe sans gras	0,27

GRIGNOTINES

Barre granola dure	amandes	0,57
	arachides	0,59
	beurre d'arachides	0,59
	brisures de chocolat	0,68
	nature	0,59
Barre granola tendre, avec enrobage de chocolat	brisures de chocolat	0,60
	beurre d'arachides	0,51
Barre granola tendre, sans enrobage de chocolat	barre céréales + fruits	0,71
	beurre d'arachides	0,60
	brisures de chocolat, graham et guimauves	0,67
	noix et raisins secs	0,58
	raisins secs	0,62
Bâtonnets de sésame		0,44
Bretzels durs nature, salés		0,76
Carré aux Rice Krispies		0,80
Croustilles de bananes séchées		0,51
Croutilles de maïs (chips tortilla)	nature	0,56
	cuites au four sans gras	0,75
	saveur nacho	0,57
Croustilles de pommes de terre (chips)	barbecue	0,48
	crème sûre et oignon	0,46
	fromage	0,53
	légères	0,61
	nature	0,45
Galettes de riz, Mini-crousties inclus		0,78

GRIGNOTINES (suite)

Galettes de riz brun		0,77
Grignotises de maïs	barbecue	0,63
	nature	0,65
	saveur nacho	0,64
Maïs soufflé	à l'air	0,63
	à l'huile	0,48
	caramel	0,74
	fromage	0,42

DESSERTS ET AUTRES SUCRERIES

Beigne	fourré à la crème	0,29
	fourré de gelée	0,38
	glacé au miel	0,43
	roussette, givré	0,58
Biscuits	avoine (avec ou sans raisins)	0,66
	beurre	0,68
	beurre d'arachides	0,57
	brisures de chocolat	0,70
	figues	0,66
	gaufrettes au chocolat	0,69
	gingembre	0,75
	guimauve, enrobage au chocolat	0,66
	graham nature	0,74
	mélasse	0,73
	sablés	0,63
	sandwich à la vanille	0,71
	sandwich au chocolat	0,69
	thé social	0,72
Bonbons	After Eight ᴹᴰ	0,75
	arachides enrobées de chocolat au lait	0,45
	caramel	0,76
	caramel écossais	0,95
	fudge chocolat (maison)	0,80
	guimauves	0,81
	jujubes	0,99
	jelly beans	0,93
	M & M's ᴹᴰ arachides	0,57
	M & M's ᴹᴰ chocolat	0,69
	raisins secs enrobés de chocolat au lait	0,68
	réglisse aux fraises	0,76
	sucre d'orge	0,98
	tire	0,91
Brioche danoise		0,43
Brownie commercial		0,62
Carré aux dattes		0,64
Chausson aux fruits		0,40
Chocolat à cuisson	amer	0,14
	mi-sucré	0,59
	sucré	0,65

DESSERTS ET AUTRES SUCRERIES (suite)

Chocolat au lait (tablette)		0,56
Chou à la crème		0,23
Confitures		0,70
Cornet pour crème glacée, type gaufrette		0,76
Croustade aux pommes		0,31
Desserts congelés	crème glacée au chocolat	0,27
	crème glacée à la vanille	0,27
	popsicle	0,33
	lait glacé à la vanille	0,23
	sorbet	0,30
	yogourt glacé	0,24
Flan (recette maison)		0,11
Gâteaux	ananas renversé	0,50
	aux fruits commercial	0,58
	carottes (avec glaçage)	0,46
	chocolat (Diable) commercial, avec glaçage	0,52
	des anges	0,56
	éponge	0,61
	fromage commercial	0,25
	pain d'épices	0,50
	quatre-quarts maison	0,48
	shortcake	0,49
Glaçage au chocolat, crémeux, prêt-à-manger		0,62
Gélatine (Jell-O ᴹᴰ), préparée avec eau		0,14
Gelées		0,69
Mélange à saveur de chocolat (Quick ᴹᴰ), en poudre		0,86
Mélasse		0,69
Miel		0,82
Mousse au chocolat		0,16
Pain aux bananes		0,55
Pouding	au chocolat, commercial	0,23
	au pain et raisins secs	0,24
	au riz, commercial	0,22
Sirop d'érable		0,67
Sirop de maïs		0,77
Sucre d'érable		0,91
Tapioca, commercial		0,19
Tartes	bleuets (2 croûtes)	0,34
	cerises (2 croûtes)	0,39
	citron meringue (1 croûte)	0,46
	citrouille	0,25
	pacanes	0,54
	pommes (2 croûtes)	0,32

Facteurs glucidiques pour des volumes

Les tables qui suivent sont conçues de la même façon que les précédentes; cependant, elles indiquent la quantité de glucides contenue dans **1 ml** d'aliment. Ces facteurs glucidiques pour des volumes concernent donc surtout les aliments liquides qu'il est plus facile de mesurer que de peser.

Pour calculer la quantité de glucides contenue dans **votre** portion d'aliment, il suffit de multiplier son volume (en ml) par le facteur glucidique, exprimé ici en grammes par ml.

Par exemple, le facteur glucidique de volume pour une boisson gazeuse de type cola est de 0,11. Vous prenez un verre de cola de 125 ml? Vous effectuez donc la multiplication suivante : 125 × 0,11 = 14 g de glucides.

BOISSONS NON ALCOOLISÉES		
Bière désalcoolisée		0,13
Boisson désaltérante,	type Gatorade	0,06
Boisson à l'orange		0,14
Boisson au raisin		0,14
Boisson gazeuse (non diète)	cola	0,11
	soda à l'orange	0,13
	soda citron et lime	0,11
	soda gingembre (*ginger ale*)	0,09
	soda au raisin	0,12
	soda mousse (*cream soda*)	0,14
	racinette (*root beer*)	0,11
	soda tonique (*tonic water*)	0,09
Boisson de riz		0,10
Boisson de soja enrichie		0,05
Coktail de jus de canneberges		0,15
Chocolat chaud maison (lait 2 %)		0,10
Jus de palourdes et tomates (Clamato)		0,11
Lait liquide (écrémé, 1 % m.g., 2 % m.g. ou entier)		0,05

BOISSONS NON ALCOOLISÉES (suite)		
Lait au chocolat		0,10
Lait de poule (*egg nog*)		0,15
Lait frappé (*milk shake*)	chocolat	0,13
	fraises	0,18
	vanille	0,13
Limonade, poudre, avec eau		0,12
Punch aux fruits		0,12
Thé glacé au citron, sucré, prêt à boire		0,09

BOISSONS ALCOOLIQUES		
Bière	ordinaire (5 % alc./vol.)	0,03
	légère (4 % alc./vol.)	0,01
Boisson au vin (*cooler*)		0,06
Coktail	daiquiri (rhum)	0,07
	pina colada (rhum)	0,24
	whisky sour	0,23
Crème de menthe		0,47
Liqueur de café		0,55

BOISSONS ALCOOLIQUES (suite)

Vin de dessert	sec	0,04
	sucré	0,12
Vin de table blanc		0,01
Vin de table rouge		0,02
Vin de table rosé		0,01

JUS DE FRUITS

Abricots (nectar)		0,15
Ananas	jus concentré congelé dilué	0,13
	jus en conserve	0,14
Citron (jus en conserve / bouteille)		0,06
Lime (jus en conserve / bouteille)		0,07
Orange et pamplemousse, conserve		0,11
Orange	concentré congelé dilué	0,11
	conserve / bouteille	0,10
	frais	0,09
Pamplemousse blanc, jus frais		0,10
Pamplemousse rose, concentré congelé dilué		0,10
Papaye (nectar)		0,15
Poires (nectar)		0,15
Pomme	concentré congelé dilué	0,12
	conserve / bouteille	0,12
Pruneaux		0,18
Raisin (jus en conserve / bouteille)		0,16
Tangerine, mandarine	congelé (sucre ajouté) dilué	0,11
	frais	0,10
Carottes, jus conserve / bouteille		0,09
Légumes, jus, cocktail, conserve		0,04
Tomates, jus, conserve		0,04

SAUCES ET CONDIMENTS

PAS = prête à servir

Ketchup aux tomates		0,24
Lait de coco		0,05
Mayonnaise commerciale	ordinaire	0,01
	faible en gras	0,13
Moutarde préparée jaune		0,05
Sauce aigre-douce	prête à servir (PAS)	0,27
	Sauce barbecue (PAS)	0,07
	Sauce HP (PAS)	0,14
Sauce blanche (béchamel)	claire	0,08
	moyenne	0,10
	épaisse	0,12
Sauce hoisin (PAS)		0,22

SAUCES ET CONDIMENTS (suite)

Sauce aux prunes (PAS)		0,54
Sauce salsa (PAS)		0,05
Sauce soja		0,07
Sauce spaghetti marinara (PAS)		0,07
Sauce spaghetti tomates (PAS)		0,15
Sauce tartare (PAS)		0,08
Sauce teriyaki (PAS)		0,19
Sauce Worcestershire		0,08
Vinaigrette commerciale	césar	0,04
	fromage bleu	0,10
	française	0,15
	italienne	0,05
	mille-îles	0,18
	ranch	0,04
	ranch sans gras	0,33
	russe	0,11
	russe sans gras	0,33

SOUPES

Bouillon de poulet, conserve		0,01
Crèmes	asperges, condensé + lait	0,07
	céleri, condensé + lait	0,07
	champignons, condensé + lait	0,06
	palourdes, condensé + lait	0,06
	pommes de terre, condensé + lait	0,07
	poulet, condensé + lait	0,06
	tomates, condensé + lait	0,09
Soupes	bœuf « chunky »	0,08
	bœuf et nouilles, condensé + eau	0,04
	dinde « chunky »	0,06
	dinde et légumes, condensé + eau	0,03
	dinde et nouilles, condensé + eau	0,03
	légumes + eau	0,05
	légumes « chunky »	0,08
	minestrone, condensé + eau	0,04
	oignon, condensé + eau	0,03
	poireaux, déshydratée + eau	0,04
	pois cassés jaunes	0,10
	poulet et gombo, condensé + eau	0,07
	poulet et légumes « chunky »	0,08
	poulet et légumes, condensé + eau	0,03
	poulet et nouilles, condensé + eau	0,04
	poulet et nouilles « chunky »	0,07
	poulet et riz, condensé + eau	0,03
	tomates, condensé + eau	0,07
	tomates et riz, condensé + eau	0,09
	tomates et bœuf avec nouilles, condensé + eau	0,08

Marquis imprimeur inc.

Québec, Canada
2008